Déc. 2000.

Cher Noëlla et Sylvain

D1586446

Meilleurs Voeux et
Reconnaissance.

André Doyon ami

Je crie
vers
Toi

ANDRÉ DOYON

o.m.i.

Je crie *vers* Toi

PRIÈRES

ANNE SIGIER

Du même auteur, aux Éditions Anne Sigier :
Psaumes évangéliques.
Pour redonner la vie.

ÉDITION
Éditions Anne Sigier
1073, boul. René-Lévesque Ouest
Sillery (Québec) G1S 4R5

EN COUVERTURE
Bernardo Daddi, *Crucifixion*

MAQUETTE DE COUVERTURE
Marie-Isabelle Morais

ILLUSTRATIONS
Photos de l'auteur : p. 45, 76, 96, 142, 193, 223
Peintures de Marie-Laure Doyon, mère de l'auteur : p. 25, 62, 117, 124

ISBN
2-89129-358-4

DÉPÔT LÉGAL
Bibliothèque nationale du Québec
Bibliothèque nationale du Canada
3e trimestre 2000

IMPRIMATUR
Denis Paquin, o.m.i., provincial

Imprimé au Canada
© Éditions Anne Sigier
Tous droits réservés

Distribution en France et en Belgique par Anne Sigier – France.
Distribution en Suisse par les Éditions Saint-Augustin.

Site Web : www.annesigier.qc.ca

Les Éditions Anne Sigier reconnaissent l'aide financière du gouvernement du Canada par
l'entremise du Programme d'aide au développement de l'industrie de l'édition (Padié). Les
Éditions Anne Sigier reconnaissent également l'aide financière du gouvernement du Québec
par l'entremise de la Société de développement des entreprises culturelles (SODEC).

À tous ceux et celles
qui crient vers toi,
Seigneur,
qu'ils trouvent réconfort,
joie et espérance.

Mille mercis à ma sœur Claire
pour sa généreuse collaboration
à la révision et aux corrections
des textes.

Préface

Cris du nouveau-né
Qui cherche la lumière

Ou cris des affamés
Qui ploient sous la misère

Cris de joie des enfants
Envahis par la fête

Ou cris des condamnés
Traités comme des bêtes

Cris des prisonniers
Qu'on vient de libérer

Ou cris des exploités
Que l'on a bafoués

Cris d'espoir des peuples
Marchant vers la victoire

Ou cris du mourant
Qui lutte jusqu'au soir

Quand tous ces cris, Seigneur
Se dirigent vers toi
Ils deviennent prière
Qui ouvre sur la joie

Plan général

CHAPITRE I

Cris d'admiration

« Vous toutes, œuvres du Seigneur,
bénissez le Seigneur :
à lui haute gloire,
éternelle louange ! »
Dn 3,57

Devant les montagnes si hautes
Et habilement taillées

Devant la mer immense
Et si riche de vie

Devant le soleil si puissant
Qui fait chanter les oiseaux

Devant les champs de blé
Si vastes et colorés

Devant les fleurs des prés
Si variées et fragiles

Devant tant et tant de beautés
Notre cœur d'enfant
Bondit de joie
Et laisse éclater
Ses cris d'admiration

Résurrection (Printemps)

*« Dieu l'a ressuscité, ce Jésus ;
nous en sommes tous témoins. »*
Ac 2,32

Quelle image de vie
Et de résurrection
Dans cette nature
Qui renaît
Après un long hiver
Où tout semblait fini
Où tout semblait perdu

Depuis des mois déjà
Les arbres des forêts
Offraient au ciel grisâtre
Leurs branches dénudées
Depuis tellement de temps
Les chants des oiseaux
Devenus familiers
Avaient fait place aux vents
Énervés et lugubres

Quand, au mois de janvier
Les ruisseaux sont gelés
Et quand les fleurs des prés
Se sont fait écraser
Sous des tonnes de neige
Qui pourrait espérer
Revoir une nature
Débordante de vie
De chants et de verdure

Mais voilà qu'aujourd'hui
Les oiseaux nous reviennent
Pour louer la nature
Qui renaît de partout
Puis aux branches des arbres
Éclatent les bourgeons
Ces porteurs d'espérance
Sortant de leur prison

Quand tu fus enfermé
Au fond de ce tombeau
Emprunté d'un ami
Quand, après ce procès
Tout s'était évanoui
De nos plus fous espoirs
Nous marchions dans le noir
Sans entrain, le cœur lourd
Comme des enfants
Abandonnés

Nous avons tous pensé
Que le rêve trop beau
Était déjà fini
Mais au matin de Pâques
Tu reviens à la vie
Et tu m'invites ainsi
À ne jamais douter
Que, par toi, le printemps
Renaît à chaque instant

Toi qui donnes la vie
Avec tant d'abondance
Et qui m'invites aussi
À demeurer vivant
Donne-moi l'énergie
Que je puisse toujours
Être porteur de vie
D'amour et d'espérance

Pâques

Quittant vite le tombeau,
tout émues et pleines de joie,
elles coururent porter la nouvelle
à ses disciples.
Mt 28,8

Seigneur
Ton matin de Pâques
A changé notre vie

Tu as changé nos peurs
En forces invincibles

Tu as changé nos peines
En joies indescriptibles

Tu as changé nos désespoirs
En profondes espérances

Tu as changé nos nuits
En des jours merveilleux

Tu as changé nos solitudes
En présences éternelles

Tu as changé nos doutes
En une foi sans faille

Tu as changé nos isolements
En riches communions

Tu as changé nos douleurs
En une paix sereine

Tu as changé nos échecs
En éclatantes victoires

Tu as changé nos morts
En vie renouvelée

Tu as changé nos pauvretés
En richesses infinies

Tu as changé nos deuils
En de joyeuses fêtes

Tu as changé nos cris
En vrais chants de triomphe

Tu as changé nos pleurs
En symphonies de joie

Tu as changé nos pas hésitants
En danses féeriques

Seigneur,
Ton matin de Pâques
A changé notre vie

Alléluia

Cœur d'enfant

« Regardez les lis,
comme ils ne filent ni ne tissent... »
Lc 12,27

Tu as gardé, Seigneur
Ton cœur d'enfant
Pour admirer
Les oiseaux du ciel
Qui ne sèment ni ne moissonnent
Mais qui trouvent dans la nature
Ce qu'il leur faut de nourriture

Tu as gardé, Seigneur
Un cœur d'enfant
Pour contempler
Les lis de ces prés
Et les milliers de fleurs
Qui, de toutes couleurs
Embellissent les champs

Tu as gardé, Seigneur
Le cœur pur de l'enfant
Qui donne sa confiance
À tous ceux qu'il côtoie
Et qui oublie les affronts
De celui qui le blesse

Tu as gardé, Seigneur
Le cœur émerveillé
Devant la joie des tiens
Revenant de mission
Heureux de raconter
Les prodiges que Dieu
Accomplissait par eux

Tu as gardé, Seigneur
Le vrai cœur d'un enfant
Quand tu parlais au Père
En l'appelant « Papa »
Sûr qu'il était là
Au jardin des douleurs

Tu as gardé, Seigneur
La confiance de l'enfant
Quand tu remis au Père
Ton âme entre ses mains
Au milieu des ténèbres
Où tu donnais ta vie

Prête-moi donc, Seigneur
Un cœur tendre et confiant
Capable de contempler
Et de s'émerveiller
Devant tant de beautés
Devant tant de bonté

Prête-moi donc, Seigneur
Ce cœur vrai de l'enfant
Qui donne sa confiance
Et sait s'abandonner
Dans les bras de sa mère
Qui l'a longtemps porté
Pour lui donner la vie

Tu aurais pu, Seigneur…

Elle mit au monde son fils premier-né,
l'enveloppa de langes et le coucha dans une crèche,
parce qu'il n'y avait pas de place
pour eux à l'hôtellerie.
Lc 2,7

Tu aurais pu, Seigneur
T'incarner chez les rois
Ou les puissants du monde
On t'aurait vénéré

Mais tu as préféré
Aux châteaux luxueux
Une pauvre mangeoire
Trop longtemps oubliée

Tu aurais pu, Seigneur
Accepter les royaumes
Que t'offrait le démon
Au jour de tentation

Mais tu as préféré
Obéir à ton Père
Et prendre le chemin
Qui conduit au calvaire

Tu aurais pu, Seigneur
Choisir parmi les grands
Des disciples fidèles
Qui t'auraient bien suivi

Mais tu as préféré
Pour ton cercle d'amis
Choisir parmi les humbles
Parmi les plus petits

Tu aurais pu, Seigneur
Faire descendre le feu
Pour confondre ceux-là
Qui ne t'accueillaient pas

Mais tu n'as pas voulu
Jouer au magicien
Tu préféras l'amour
À la force et à la peur

Tu aurais pu, Seigneur
Te constituer une armée
Qui t'aurait défendu
Qui t'aurait protégé

Mais tu as refusé
L'usage de la violence
Qui ne fait qu'engendrer
Mort et brutalité

Tu aurais pu, Seigneur
Étaler des richesses
T'imposer par la peur
Comme font les puissants

Mais tu as préféré
Te faire serviteur
Pour être du côté
De tous ceux qui ont peur

Tu aurais pu, Seigneur
Descendre de la croix
Dans un geste d'éclat
Tu en avais le choix

Mais tu as préféré
Accepter la folie
Et prouver ton amour
Par le don de ta vie

Jean-Baptiste

*« Es-tu celui qui doit venir
ou devons-nous en attendre un autre ? »*
Lc 7,20

Du fond de ma prison
J'entends parler de toi
Et le doute m'assaille
Je ne comprends plus rien
De tout ce qui arrive
Plus je cherche à savoir
Plus mon esprit s'égare

Qui es-tu donc, Seigneur
Es-tu vraiment celui
Qui vient pour libérer
Notre peuple éprouvé
Es-tu bien ce Messie
Si longtemps attendu
Qui donnait tant d'espoir

Du fond de ma prison
Où courent les rumeurs
Je ne reconnais plus
Celui que j'annonçais
Avec tant de vigueur
Es-tu bien le Messie
Es-tu bien le Sauveur

On dit que tu t'assois
À la table des pauvres
On dit que tu fréquentes
Ceux qu'on a rejetés
Les sans-nom, les sans-voix
Et que même Zachée
T'a reçu sous son toit

Mais qui es-tu, Seigneur
Pour dire aux pharisiens
Jaloux de leur vertu
Que les prostituées
Entreront avant eux
Au Royaume des cieux
Ai-je bien entendu

Quand ils sont revenus
Ceux que j'avais chargés
D'aller t'interroger
Et qu'ils m'ont raconté
Tout ce qu'ils avaient vu
J'ai dû changer d'avis
Sur le nouveau Messie

Un Messie qui redonne
Santé et dignité
Aux personnes blessées
Un Messie qui pardonne
Et redonne la vue
À ceux qui, dans le noir
Criaient leur désespoir

Un Messie qui annonce
Un Dieu plein de bonté
De tendresse et d'amour
Un Messie qui prononce
Avec tant de clarté
Qu'il est venu sauver
Et non pas condamner

Quand marchent les boiteux
Et qu'entendent les sourds
Quand viennent les lépreux
Convaincus qu'à leur tour
Ils seront purifiés
C'est la fête partout
Dieu nous a visités

Du fond de ma prison
Je tressaille de joie
Quand j'apprends que ton nom
Éveille tant de foi
Chez tous ces assoiffés
Qui ont enfin trouvé
Celui qu'on attendait

Je rends grâces, Seigneur
Pour toutes ces merveilles
Accomplies parmi nous
Je rends grâces, Seigneur
Pour la Bonne Nouvelle
Dieu s'est fait l'un de nous

Nouvelle force

Cela dit, il souffla sur eux et leur dit :
« Recevez l'Esprit Saint… »
Jn 20,22

Quelle force
De ton Esprit
Nous envahit

Nous qui avions si peur
Nous voilà si hardis
Prêts à donner notre vie
Pour te faire connaître
Toi, le Messie promis

Nous vivions enfermés
Et tout tremblants de peur
Pierre avait nié
Connaître celui-là
Qu'on allait mettre en croix

Nous avions tous fui
Devant cette furie
D'un peuple déchaîné
Qui criait sans relâche
« Qu'il soit crucifié
Délivrez Barabbas… »

Mais voilà qu'aujourd'hui
Nous sommes sur la place
Pour dire à tout le peuple
Que tu es bien vivant

La peur nous a quittés
Et le cœur plein de joie
Nous prêchons dans le Temple
Que tu es né de Dieu

Tu es ressuscité
Nous en sommes témoins
Nous avons déjeuné
Avec toi ce matin

Toi que nos yeux ont vu
Que nos mains ont touché
Toi qui as soulagé
Tant de gens démunis
Et toi qui as nourri
Les foules affamées
Tu es ressuscité

Aujourd'hui, nous sommes prêts
À donner notre vie
Pour prouver que tu es
Vraiment ressuscité

Noël

«Aujourd'hui, dans la cité de David,
un Sauveur vous est né... »
Lc 2,11

Pourquoi tant de bruits
Et d'énervements
Pour fêter ta naissance
Quand, pourtant, tu es né
Dans le silence

Pourquoi tant de richesses
Étalées devant nous
Pour fêter ta venue
Quand, pourtant, tu es né
Dans la pauvreté

Pourquoi tant de lumières
Et de guirlandes
Pour fêter ta naissance
Quand tu n'avais pour éclairage
Que le ciel étoilé

Pourquoi tant de chansons
À boire et à danser
Pour fêter ta venue
Quand tu n'avais, à Bethléem
Que le chant des anges

Mais la bonne nouvelle
Ne peut être ignorée
Car pour nous, la lumière
Va chasser les ténèbres
Dieu vient nous libérer

Que nos chants de triomphe
De joie et d'allégresse
Surgissent de partout
Après un long silence
Préparant ta venue

Que se taisent les armes
Et les cris des soldats
Que cesse le vacarme
De nos fausses idoles
Et de nos courses folles

Que viennent les enfants
Les bergers et les sages
Les pauvres, les petits
Que l'on entende enfin
La grande symphonie

« Aujourd'hui
Un Sauveur nous est né… »

Images de Dieu

« Qui m'a vu a vu le Père... »
Jn 14,9

Je n'aurais jamais cru, Seigneur
Qu'un Dieu si riche
Et si puissant
Pouvait naître si pauvre
Et ignoré des grands

Je n'aurais jamais cru, Seigneur
Qu'un Dieu si fort
Et si parfait
Pouvait tendre la main
Aux pécheurs rencontrés

Je n'aurais jamais cru, Seigneur
Qu'un Dieu si pur
Et si lointain
Pouvait laver les pieds
De mes frères humains

Je n'aurais jamais cru, Seigneur
Qu'un Dieu si noble
Et si juste
Pouvait venir défendre
Cette femme accusée

Je n'aurais jamais cru, Seigneur
Qu'un Dieu si grand
Et invincible
Pouvait tellement souffrir
Cloué sur une croix

Tu as défait, Seigneur
Cette image d'un Dieu
Que nul n'osait nommer
Tu l'as rendu si proche
Que nous osons l'appeler
Notre Père

Amour fou

«Aimez-vous les uns les autres
comme je vous ai aimés.»
Jn 15,12

Pourtant, Seigneur
Tu devais être bien
Dans ton Royaume

Pourquoi es-tu venu
Sur notre terre froide
Partager nos souffrances
Quelle immense folie
T'a conduit jusqu'à nous

Après des jours trop pleins
Tu connus la fatigue
Jusqu'à dormir au fond
D'un bateau ballotté
Perdu dans la tempête

Tu as été jugé
Par ces gens trop honnêtes
Qui n'ont jamais cessé
De surveiller tes gestes
De filtrer tes paroles

On t'a même accusé
De guérir des malades
En plein jour de sabbat
C'était contre la Loi
Et tu le savais bien

Tu as connu, Seigneur
Nos rejets, nos échecs
Devant l'opposition
Des scribes, des grands prêtres
Tu as vécu nos peurs
Devant la mort prochaine

Tu as été trahi
Par ton ami Judas
Tu vécus l'abandon
Au jardin des douleurs
Tu connus l'agonie
Quand tes amis dormaient
Écrasés de sommeil

Pourquoi es-tu venu
Dans ce monde si froid
Partager nos combats
Quelle immense folie
T'a conduit jusqu'à nous

Et quand tu nous invites
À aimer comme toi
Faudra-t-il que j'évite
De connaître la Croix

Emmanuel

*« Et le Verbe s'est fait chair
et il a demeuré parmi nous. »*
Jn 1,14

Tu es venu chez nous
Tu as pris notre chair
Et vécu notre vie

Qu'elle est fascinante
Cette histoire
Seigneur

Un Dieu si grand
Et si puissant
Qui crée le monde
Et ses richesses
Avec tant d'harmonie
Avec tant de génie

Un Dieu si fort
Qui, par sa seule parole
Fait jaillir l'univers
Et met la vie partout

Tu es ce Dieu, Seigneur
Qui vient naître chez nous
Comme tous les enfants
Dans cette humble famille
De simples artisans

Comme tous les enfants
Tu as eu faim et soif
Et tu as dit « maman »
Et tu as dit « papa »

Tu fus adolescent
Et visitas le Temple
Comme ceux de ton âge
Quand tu as eu douze ans

Tu as mangé et bu
À la table des tiens
Tu as ri et pleuré
Et porté nos chagrins

Tu as souffert, Seigneur
Devant l'obstination
De ceux qui refusaient
D'accueillir ta mission

Puis, quand a débordé
La haine contre toi
On t'a bien condamné
À mourir sur la croix

Toi, le Dieu des vivants
Qui as pris notre chair
Tu as poussé si loin
L'amour et le pardon
Que partout sur la terre
Nous proclamons ton Nom

Présence

« En vérité je vous le dis,
dans la mesure où vous l'avez fait
à l'un de ces petits de mes frères,
c'est à moi que vous l'avez fait. »
Mt 25,40

Comme elle est visible
Ta présence, Seigneur
Dans notre monde
Pour qui sait la trouver

Tu inspires tant de gestes
Chez cette petite sœur
Au service des pauvres
Que l'on a rejetés

Chez cette célibataire
Qui consacre ses journées
Avec tant d'amitié
Aux personnes âgées

Chez cet enfant
Qui, plein de joie
Accepte de partager
Ses jouets et ses sous
Avec les moins fortunés

Dans cet accueil gratuit
En région étrangère
Où le mot « Bienvenue »
Brille sur les visages

Elle est visible, Seigneur
Dans les veilles de la mère
Qui attend son enfant
Au milieu de la nuit

Elle est visible aussi
Dans cette main tendue
Pour offrir un pardon
Après un dur affront

Et chez ce mendiant
Qui partage son pain
Avec un étranger
Venu le rencontrer

Elle est visible, Seigneur
Ta présence d'amour
Dans ce moine priant
Qui te donne sa vie

Visible aussi, Seigneur
Chez cette handicapée
Qui garde le sourire
Et rassure celui
Qui vient la consoler

Visible chez celui
Qui refuse d'exploiter
Le pauvre, l'humilié
Qui ne vit qu'à moitié

Elle est visible aussi
Chez l'artisan de paix
Qui croit en l'être humain
Et en son besoin d'aimer

Dernière place

*«... il commença à laver les pieds
de ses disciples... »*
Jn 13,5

J'ai longtemps hésité
Seigneur
Avant de décider
D'aller prendre
La dernière place
Parmi les invités
Au banquet

Mais quelle ne fut pas
Ma surprise
De t'y retrouver
Agenouillé
En train de laver
Les pieds
Des derniers
Invités

Dans ce geste incompris
De Pierre, ton ami
Tu m'invites, Seigneur
À me faire serviteur
De mes frères et sœurs
À oser me pencher
Sur les plus délaissés

41

Je veux bien accepter
De choisir, au banquet
Cette dernière place
Celle des démunis
Des blessés de la vie
Je suis sûr que c'est là
Que je te trouverai

Ma sœur

*« Il n'est pas de plus grand amour
que de donner sa vie pour ses amis. »*
Jn 15,13

Elle a tout laissé, Seigneur
Son loyer, ses amies
Et n'a laissé parler
Que le fond de son cœur
Pour venir prendre soin
De ceux-là qui, un jour
Nous ont donné la vie

Avec quel dévouement
Elle s'est oubliée
Pour donner aux parents
Joie et sécurité
Combien de pas gratuits
Et combien d'insomnies
Dans ces gestes de vie

Tu l'avais dit, Seigneur
Qu'il n'y a pas sur terre
Un amour plus puissant
Que le don de sa vie
Et pour tant de merveilles
Venant d'un cœur aimant
Nous te disons : « Merci »

Élisabeth et Marie

*Elle entra chez Zacharie
et salua Élisabeth.*
Lc 1,40

Comme elle a dû être belle
Votre rencontre
Vous qui étiez témoins
Dans votre corps
De l'accomplissement
Des promesses de Dieu

Quels moments de prière
Et d'actions de grâces
Vous avez dû vivre
Pendant ces quelques mois
Où se tissait la vie
Où vous deveniez mères

Quels moments de silence
Remplis de la présence
De l'Esprit du Seigneur
Qui venait faire en vous
De si grandes merveilles

Que de délicatesses
D'attentions, de services
Ont dû remplir les jours
De cette longue attente
De la libération
Des fils de la promesse

Avec vous, je rends grâce
Pour le « Oui » prononcé
Qui nous permet de vivre
Dans la joie, l'espérance
Et l'amour de Celui
Qui est le vrai Messie

Joie du pardon

*« Ne fallait-il pas se réjouir
et festoyer... »*
Lc 15,32

Je suis toujours surpris, Seigneur
Devant la joie que tu ressens
Et l'empressement
À remettre les péchés

Au retour du prodigue
Tu nous montres le père
Plein de vie et d'entrain
Qui accueille son fils
Et ordonne la fête

Il voudrait bien aussi
Qu'elle soit contagieuse
Cette joie qui est sienne
Il ne veut pas d'exclus
Pour ce grand rendez-vous

Le pardon qu'il nous donne
Devient source de vie
Et lui-même le dit
À l'aîné qui s'étonne
Et ne peut le comprendre

« Il fallait bien
festoyer et se réjouir
puisque ton frère que voilà
était mort
et il est revenu à la vie. »

Tu nous redis, Seigneur
La joie qui règne au ciel
Quand revient un pécheur
Cette joie du retour
C'est la joie de l'amour

Et chez le bon pasteur
Qui revient tout joyeux
Après avoir trouvé
La brebis égarée
On te reconnaît bien

Sur la croix, tu t'empresses
De dire au condamné
Qu'il sera avec toi
Au Royaume promis
Le Père s'est réjoui

Je t'ai reconnu

«Aimez-vous les uns les autres
comme je vous ai aimés...»
Jn 15,12

J'ai reconnu, Seigneur
La tendresse du Père
Dans toute l'affection
Témoignée par la mère
Envers son nouveau-né

J'ai reconnu, Seigneur
La patience du Père
En voyant ces parents
Faire mille et un gestes
Pour le bien des enfants

J'ai reconnu, Seigneur
Le vrai pardon du Père
Dans l'accueil réservé
Par toute la famille
À l'aînée si blessée

J'ai reconnu, Seigneur
Le grand amour du Père
Dans les mille soins
De ces parents inquiets
Pour leur enfant malade

J'ai reconnu, Seigneur
Ta présence concrète
Dans le dévouement
De tout ce voisinage
Envers les sinistrés

Tant de gestes de dons
Tant de gestes gratuits
Me montrent ta présence
Et me comblent de paix
De joie et d'espérance

Je te louerai, Seigneur

« Observez les lis des champs,
comme ils poussent... »
Mt 6,26

Pour la neige si douce
Qui décore les arbres

Pour la première gelée
Et les premiers glaçons

Je te louerai, Seigneur

Pour la source si pure
Le cours d'eau sinueux

Pour le bourgeon gonflé
Éclatant au soleil

Je te louerai, Seigneur

Pour cette humble violette
Cachée dans l'herbe tendre

Pour le lis éclatant
Et pour les fleurs des champs

Je te louerai, Seigneur

Pour le merle fidèle
Et son chant matinal

Pour l'écureuil agile
Et son regard curieux

Je te louerai, Seigneur

Pour les blés qui se penchent
Comme moines en prière

Pour les nuages blancs
Dansant sous le soleil

Je te louerai, Seigneur

Pour l'enfant qui s'éveille
Les yeux remplis de joie

Pour la mère qui veille
Et prie dans le secret

Je te louerai, Seigneur

Pour toutes les merveilles
Accomplies parmi nous

Pour ton amour fidèle
Et le grand rendez-vous

Je te louerai, Seigneur

Déroutant

« Si quelqu'un veut être le premier,
il se fera le dernier de tous
et le serviteur de tous... »
Mc 9,35

Qu'elle est déroutante, Seigneur
Ta parole de vie

Je voulais être le premier
Tu me dis de servir

Je voulais me venger
Tu m'invites au pardon

Je recherchais l'action
Tu me dis de prier

Je cherchais le bonheur
Tu me montres la croix

Je voulais des actions éclatantes
Tu m'invites à donner un verre d'eau

Quand j'ai voulu te suivre
Tu m'as promis des persécutions

Je voulais un Dieu puissant
Tu te fais mendiant

Je cherchais la sécurité
Tu m'invites à l'abandon

Je cherchais la première place
Tu me montres la dernière

Je voulais te servir
Tu m'as lavé les pieds

Tu m'invites à croire
Et j'entretiens le doute

Comme elle est différente, Seigneur
Ma façon de penser
Comparée à la tienne

Admiration

« Regardez les lis,
comme ils ne filent
ni ne tissent... »
Lc 12,27

Je veux croire, Seigneur
Que cette création
Si puissante
Et si belle
Est le fruit d'un amour
Infini, éternel

Quand je regarde
Le ciel étoilé
Où dansent dans la nuit
Des milliers d'étoiles
Et où brillent les planètes

Quand je vois le soleil
Si radieux, si puissant
Qui se lève et se couche
Dans un ciel enflammé
Toujours renouvelé

Quand je contemple
Ces millions de fleurs
Si délicates et colorées
Et ces milliers de plantes
Portant semences et fruits

Quand je lis la bonté
Dans les yeux des parents
Devant leur nouveau-né
Quand je vois ces enfants
Au regard si pur

Quand j'admire le vieillard
Priant dans le silence
Et remerciant son Dieu
Pour la vie qu'il lui donne
Je rends grâce, Seigneur
Pour ton amour sans bornes
Qui a tout inventé

Prière du saumon

*« Ô vous, baleines
et tout ce qui se meut
dans les eaux,
bénissez le Seigneur… »*
Dn 3,79

Quand tu as fait l'homme, Seigneur
Tu as voulu y mettre
Tout le soin et l'habileté
Du potier…
« Il l'a pétri
Du limon de la terre… »
Nous dit l'Écriture

Puis, pour lui faire
Une compagne qu'il puisse reconnaître
Tu as créé une femme
Elle aussi à ton image

« Homme et femme
Tu les créas à ton image
Comme dit encore l'Écriture
Et tu vis que cela était très bon… »

Mais, Seigneur
Comme tu as dû t'amuser
En me créant, moi, le saumon
Avec quel soin tu as voulu
Fabriquer ma chair si tendre
Et si doucement colorée
Tu savais qu'elle ferait le délice
Du plus fin gourmet

Avec quelle idée géniale
Tu as travaillé mon épine dorsale
Si habilement équilibrée
Avec quel soin
Tu as aussi placé mes nageoires
Pour pouvoir me déplacer
Si rapidement dans la mer
Et les rivières

Avec quelle puissance
Je peux sauter dans les chutes
Et nager à contre-courant

Parfois, Seigneur
Elles sont hautes, ces chutes
Et combien rapides
Et le courant cherche à m'emporter
Je tourbillonne et recule

Mais devant les obstacles
Je retrouve l'énergie et le courage
Et redouble mes efforts

La vue de mes semblables
M'engage à réessayer
Plusieurs fois
Avec beaucoup de patience
J'arrive enfin au but
Merci, Seigneur
Pour cette énergie
Et cette agilité

Avec combien de douceur
Je peux aussi me promener machinalement
Au gré des eaux
Sans me soucier du lendemain

Merci pour cet instinct
Qui me permet de pouvoir frayer
Et d'assurer la survie
De mon espèce

Merci aussi, Seigneur
Pour mes frères et sœurs
Des autres familles
Comme ils sont nombreux
Et diversifiés
Comme ils sont rapides
Et vigoureux

Donne, Seigneur
À tous ces humains qui nous observent
De pouvoir contempler ta création
Tellement riche et ordonnée
Remplie de tant de vie

Donne-leur l'élan nécessaire
Pour pouvoir accepter comme nous
Saumons de l'univers
De relever les défis
Si nombreux de leur existence

Donne-leur, Seigneur, ce souci
De conserver la nature
Si grande et si belle
Et d'éviter de nous polluer
Car c'est bien pour eux
Que nous existons

Donne, Seigneur
À ceux qui possèdent beaucoup
De pouvoir partager
Avec ceux qui manquent de tout

Donne-leur de pouvoir s'entraider
Comme nous le faisons nous-mêmes

Donne-leur, Seigneur
D'oser marcher à contre-courant
Sans se laisser décourager
Par les obstacles
Si nombreux
Et les marées capricieuses

Donne-leur aussi
L'intelligence d'attendre
Que nous ayons grandi
Avant de nous poursuivre
Et d'éviter de s'attaquer
Aux tout-petits
Qu'on appelle avec admiration
Et respect
Les saumoneaux

Amen

CHAPITRE II

Cris de reconnaissance

… dans sa joie, toute la foule des disciples
se mit à louer Dieu d'une voix forte
pour tous les miracles qu'ils avaient vus.
Lc 19,37

Pour ta naissance
Parmi nous

Pour ton accueil
Sans conditions

Pour cette eau pure
Changée en vin

Pour tes pardons
Multipliés

Pour les infirmes
Libérés

Pour ta parole
Source de vie

Pour l'amour fou
Jusqu'à la Croix

Nos cœurs débordent
En un immense
Chant de joie
Et de reconnaissance

Regard neuf (Zachée)

*«Aujourd'hui, cette maison a reçu le salut,
parce que celui-là aussi
est un fils d'Abraham... »*
Lc 19,9

J'avais mauvaise réputation
Aux yeux des miens
J'étais depuis longtemps
Exclu de la communauté

Percepteur d'impôts
Pour les Romains
Je n'hésitais pas
À m'enrichir moi-même
Aux dépens de mes frères

J'étais petit de taille
Et aussi de réputation

Mais un jour, Seigneur
Tu es venu sur cette route
Et pour moi, tout a changé

Pour la première fois
Quelqu'un me regardait
Avec des yeux neufs

Je ne me suis senti
Ni humilié ni condamné
Mais accueilli
Tel que j'étais
Avec mes misères
Et ma pauvreté
De mauvais riche

Ton regard
M'a redonné l'espoir
Et le désir de grandir
Tu m'as recréé, Seigneur
Par ton seul regard
Et l'invitation
À venir dans ma maison

Pas un reproche
Pas un blâme
Pas même un conseil
Mais un simple regard
Capable de pénétrer
Le fond de mon cœur
Et lui redonner
La liberté perdue
Par l'ambition de la richesse

Ton regard
Et ton accueil gratuit
Ton amitié
Et le refus de juger
M'ont donné l'énergie
Et un intense désir
De changer cette vie
Et de réparer les torts
Causés à mon prochain

« Oui, Seigneur
Je donne la moitié de mes biens… »

Depuis notre rencontre
Ton regard ne me quitte plus
Et je garde au fond du cœur
Une profonde joie
Juste à penser
Qu'un jour
Quelqu'un m'a regardé
Avec des yeux neufs
Et a refusé de me voir
Petit de taille
Et de réputation

Affamés

*Tous mangèrent à satiété,
et l'on ramassa le reste des morceaux...*
Mt 14,20

Nous n'avions pas prévu, Seigneur
Cet engouement soudain
Pour un nouveau message
Fait de paix, d'espérance
De joie, de liberté
D'amour et de pardon
Nous n'avions pas prévu
Te suivre tout le jour
Pour entendre parler
Pour la première fois
D'un Dieu qui est amour
Et que tu nommes « Père »

Ce discours était loin
De celui de nos maîtres
Scribes et pharisiens
Grands prêtres et docteurs
Qui n'avaient que des lois
Revues et corrigées
Pour tâcher de convaincre
Que Yahvé était bien
Celui qui peut sauver
À condition bien sûr
D'être parmi les « purs »

Mais aujourd'hui, Seigneur
Nous sommes tout surpris
D'apprendre que tu aimes
Les pauvres, les enfants
Les sans-nom, les pécheurs
Et tous ceux qui peinent
Et vivent dans l'espoir
De trouver sur la route
Quelqu'un qui, un bon soir
Éclairera les doutes

Comment ne pas te suivre
Quitte à jeûner un peu
Pour goûter la fraîcheur
Du pain de ta parole
Qui nourrit et console
Et donne l'espérance
Après tant de souffrances
Comment ne pas te suivre
Toi, la source de vie

Mais tu n'as pas voulu
Nous renvoyer à jeun
Après cette journée
Passée en ta présence
Tu as multiplié
Les pains et les poissons
Et ce fut l'abondance

Comment te remercier
Pour tant de nouriture
Celle qui nous comble
De paix et de lumière
Et celle qui refait
Nos forces défaillantes
Et apaise la faim
Jamais nous n'oublierons
Une telle journée

Pécheresse pardonnée

Survint une femme,
une pécheresse de la ville…
Lc 7,37

J'étais déjà condamnée, Seigneur
Par ton ami Simon
Le pharisien

J'étais d'avance condamnée
Parce qu'il me connaissait
Quand on connaît quelqu'un
On vient de lui ravir
Une dernière chance

Simon me connaissait
Et il était certain
Que jamais je ne pourrais
Connaître une autre vie

J'étais pour lui
La pécheresse
La femme perdue
Déjà, son cœur parlait
« S'il était un prophète
Il saurait bien
Qui est cette femme… »

Quelle tristesse, Seigneur
Que cette désespérance
Quelle pitié
Que cette certitude
Qu'aucun changement
Qu'aucune conversion
Ne pouvait survenir
Quelle douleur
De savoir
Que jamais je ne pourrais
Retrouver la confiance
Car on me connaissait

Mais il avait oublié
Simon, le pharisien
Que pour le vrai prophète
Il y a toujours
L'espoir d'un changement
Même pour les personnes
Les plus désespérées

Il ignorait surtout
Que tu venais sauver
Et non pas condamner
Tu l'avais dit pourtant :
« Ce ne sont pas les bien-portants
Qui ont besoin du médecin
Mais les malades… »

Il ignorait aussi
Ta grande habileté
À faire surgir la flamme
De la mèche qui fume
Même timidement

Comment pouvait-il voir
Le fond de mon cœur
Ce Simon trop parfait
Et tellement satisfait
Qu'il avait oublié
Les gestes réguliers
De l'hospitalité

Pardonne-lui, Seigneur
Sa grande perfection
Comme tu me pardonnes
Mon malheureux passé

Merci, Seigneur
D'être le vrai prophète
Qui sait voir mieux que nous
Au plus profond du cœur
Et qui vient pour guérir
Et non pas rejeter

Merci, Seigneur
Pour ce pardon si grand
Toi qui sais reconnaître
Que j'ai beaucoup aimé
Depuis ce jour béni
Où je t'ai rencontré

Emmaüs (Crise de foi)

Jésus en personne s'approcha et fit route avec eux ;
mais leurs yeux étaient empêchés de le reconnaître.
Lc 24,15-16

Nous avons mis du temps
À te reconnaître
Toi, l'étranger
Venu nous rencontrer
Sur la route
D'Emmaüs

La peine, la tristesse
Nous empêchaient de voir
Qui tu étais

Ce procès si injuste
Cette mort si cruelle
Nous avaient écrasés
Nous étions si troublés
Et désemparés
Que notre esprit
Ne pouvait plus penser

Tu étais entré
Dans notre vie
Avec tant de puissance
Qu'en toi nous avions mis
Toute notre espérance
Et même notre avenir

Notre métier
Si longtemps préparé
Devenait secondaire
Nous n'avions qu'un désir
Te suivre partout
Pour mieux te connaître
Nous ne voulions manquer
Aucune des paroles
Que tu prononçais
Avec tant de vérité
Et d'autorité

Quel étrange
Et fascinant regard
Quand tu nous parlais
De ton Père du ciel
Avec combien d'amour
Et combien de ferveur
Tu nous le présentais

Nous avions cru, Seigneur
Que tu n'étais pas un prophète
Comme les autres
Nous avions vu en toi
Le sauveur d'Israël
Le Messie annoncé

Mais voilà
Que ce beau rêve
En quelques malheureux jours
S'était effondré

Nous marchions maintenant
Sans but, sans entrain
Nous avions tout perdu
Nous n'attendions plus rien
Un vide immense
Nous avait envahis
Tout n'était que silence
Il n'y avait plus de vie

Comment te reconnaître
Dans ce voyageur
Quand la tristesse
Nous broyait jusqu'aux os
Et brouillait notre vue

Il t'a fallu
Toute ta patience
Et ta force de persuasion
Pour nous permettre de relire
Le témoignage des prophètes
Et leur annonce d'un Messie
Souffrant et humilié
Prêt à donner sa vie
Comme le bon pasteur
Fidèle à ses brebis

Pardonne-nous, Seigneur
D'être passés ce soir
Si près de toi
Sans t'avoir reconnu

Merci d'être venu
Jusqu'à notre table
Et d'avoir réchauffé
Nos cœurs refroidis
Par ces jours d'agonie
Merci d'avoir béni
Ce pain déjà rassis

Nous savons maintenant
Que tu es toujours là
Nous savons maintenant
Que tu es bien vivant
Le cœur rempli de joie
Nous reprenons la route
Sans craindre l'obscurité
Pour dire la nouvelle
À nos frères et sœurs

Bon pasteur

« Je suis le bon pasteur.
Le bon pasteur donne sa vie pour ses brebis. »
Jn 10,11

Seigneur
Tu es le vrai pasteur
Pour qui chaque brebis
A le prix de ta vie

Seigneur
Tu es le vrai pasteur
Qui s'arrête pour panser
Celle qui est blessée

Seigneur
Tu es le vrai pasteur
Qui conduit à la source
La brebis assoiffée

Seigneur
Tu es le bon pasteur
Qui remet sur la route
La brebis égarée

Seigneur
Tu es le vrai pasteur
Qui, pour nourrir les tiens
Donne le pain de vie

Seigneur
Tu es le vrai pasteur
Qui se fait serviteur
Qui se fait notre ami

Parole créatrice

Au commencement, le Verbe était,
et le Verbe était avec Dieu,
et le Verbe était Dieu...
Jn 1,1

Sans ta parole créatrice, Seigneur
À qui donc pourrais-je aller
Tu as les paroles de vie

Sans ta parole
Je porte mon quotidien
Comme un habit trop lourd

Ma vie demeure banale
Sans éclat, sans but

Sans ta parole
Ma souffrance devient révolte
Ma solitude se fait amère
Ma vie n'est que désillusions

Mais ta parole
Brûle mon cœur
Comme les disciples l'ont connu
Sur le chemin du retour
Par ta parole, Seigneur
Ma maison reprend vie
Par ta parole
Ma maison devient lieu
De rencontre et d'amitié

Par ta parole
Les fleurs et les arbres
Reprennent leur éclat
Les jours redeviennent lumineux
La pluie se fait bienfaisante

Par ta parole
Ma vie prend un sens

Par ta parole
Le pardon devient don

Par ta parole
Le doute devient foi
Le désespoir, espérance
Les ténèbres, lumière.

Merci, Seigneur
Pour ta parole
Qui me recrée
Quotidiennement

Merci, Seigneur
Toi qui as
Les paroles de vie
Éternelle

Vrai Messie

« Jean-Baptiste nous envoie te dire :
Es-tu celui qui doit venir
ou devons-nous en attendre un autre ? »
Lc 7,20

Que veux-tu de plus
Jean le Baptiste

Que veux-tu de plus
Pour reconnaître enfin
Qui est le vrai Messie

Les aveugles voient
Les sourds entendent
Les boiteux marchent
Les pauvres sont accueillis
Et les pécheurs pardonnés

Il ne vient pas briser
Le roseau affaibli
Il ne vient pas écraser
Le faible sans défense
Il ne vient pas éteindre
La mèche qui fume
Il ne vient pas humilier
Celui qu'on a rejeté

Il ne vient pas condamner
Il vient plutôt sauver
Il ne vient pas blesser
Il est venu guérir
Il n'est pas tortionnaire
Il est libérateur

Il n'est pas profiteur
Il vient pour tout donner
Il vient donner sa vie

Il n'a ni soldats ni armée
Il n'a qu'une arme
C'est l'arme de l'amour

Il ne veut pas être servi
Il se fait serviteur
Il ne prêche pas la haine
Il invite au pardon
Il ne crée pas la peur
Il parle d'espérance
Il n'est pas mercenaire
Il est le Bon Pasteur

Lumière du monde

Mais à tous ceux qui l'ont reçu,
il a donné pouvoir de devenir enfants de Dieu...
Jn 1,12

À quelle dignité
Seigneur, tu nous invites
En prenant notre chair
En vivant notre vie

Devenir enfants de Dieu
Et enfants de lumière
De la seule vraie lumière
Qui luit dans les ténèbres

Tu es venu, Seigneur
Nous révéler un Père
Qui aime à la folie
Et qui nous donne sa vie

Comment ne pas chanter
Et nous émerveiller
Devant tant de bonté
Dont tu nous as comblés

Comment ne pas crier
À ce monde assoiffé
Et redonner l'espoir
Quand s'avance le soir

Tu nous invites, Seigneur
À porter la lumière
À nos frères et sœurs
Qui souvent désespèrent

Dans ce monde trop froid
Qu'elle brûle nos cœurs
Et nous comble de joie
De paix et de bonheur

Jamais seuls

« Venez à moi, vous qui peinez
et ployez sous le fardeau,
et moi je vous soulagerai. »
Mt 11,28

Merci, Seigneur
Pour cette offre gratuite
À toutes les personnes
Qui ploient sous le fardeau

Toi qui as accepté
De partager nos peines
Et de vivre avec nous
Les deuils qui nous accablent

Tu as versé des pleurs
Sur ton ami Lazare
Et accueilli les larmes
De Marthe et de Marie

Pour les foules affamées
Tu fus pris de pitié
Et tu as décidé
De partager le pain

Voyant tant de tes proches
Errant comme des brebis
Sans maîtres, sans pasteurs
Ton âme s'est émue

Devant tant de souffrances
Vécues dans notre monde
Ces mots sont accueillis
Avec reconnaissance

« Vous qui ployez sous le fardeau
Venez à moi. Je vous soulagerai… »

Vie éternelle

« Celui qui croit a la vie éternelle… »
Jn 6,47

Cette parole, Seigneur
Me comble de joie
Et d'une profonde espérance

Tu me dis que la vie éternelle
Est au-dedans de moi
Elle est donc commencée

Quelle joie de savoir
Que chaque pas
Chaque geste gratuit
Et chaque rencontre
Deviennent des moments
D'éternité

Quelle joie de savoir
Que grâce à toi
À chaque instant
Je peux bâtir l'éternité

Un service rendu
Une rencontre d'amitié
Un sourire échangé
Un pardon accordé
Une réconciliation
Un pauvre rencontré
Un malade visité
Un travail accompli

Que d'occasions, Seigneur
D'enrichir cette vie
De vivre chaque jour
Ces temps d'éternité

Quelle consolation de savoir
Que chaque jour
Peut devenir si riche
De valeur et de sens

Amour inconditionnel

« Je ne vous appelle plus serviteurs,
car le serviteur ignore ce que fait son maître ;
je vous appelle amis… »
Jn 15,15

Plus je trouve, Seigneur
Mes grandes pauvretés
Et mes nombreuses peurs
De donner sans compter

Plus je vois mon envie
De juger le prochain
Et mon peu de souci
De partager le pain

Plus je sens l'impuissance
À pardonner les torts
Plus je donne naissance
À la loi du plus fort

Plus j'oublie la détresse
Vécue autour de moi
Plus je vis la tristesse
De mes manques de foi

Et plus je vois, Seigneur
Comme il te faut d'amour
Pour m'accueillir sur l'heure
Et me dire toujours

« Désormais, je t'appelle
mon ami… »

Itinérant

« Lui qui a passé en faisant le bien… »
Ac 10,38

Qu'est-ce qui te pousse
Seigneur
À poursuivre la route
Sans jamais t'arrêter

Tu vas de ville en ville
De village en village
Comme un mendiant affamé
Toujours à la recherche
D'une vraie nourriture

Tu as toi-même dit
Que ta vraie nourriture
C'est de faire ici-bas
La volonté du Père

Tu cours à la poursuite
De la brebis perdue
Et quand tu la retrouves
Tu reviens tout joyeux

Cette joie, tu la trouves
En dînant chez Zachée
Tu goûtes son accueil
Son désir de changer

Les sourds et les aveugles
Les boiteux, les lépreux
T'arrivent de partout
Ils sont au rendez-vous

Tu accueilles les pauvres
Tu bénis les enfants
Et promets le Royaume
À ceux qui leur ressemblent

Le temps est tellement court
Et tu as tant de monde
À guérir, à combler
À nourrir et à consoler

Tu donnes le pardon
À qui veut l'accueillir
Et tu combles de paix
Ceux qui veulent te suivre

Tu redonnes aux femmes
Trop souvent humiliées
Une place de choix
Car elles ont tant aimé

Partout où tu t'arrêtes
Les foules se rassemblent
Et passent de longues heures
À boire ton message

Merci à toi, Seigneur
D'être venu chez nous
Nous avions tellement soif
D'être à ce rendez-vous

Amitié

« *Je vous appelle mes amis…* »
Jn 15,15

Quelle chance, Seigneur
De pouvoir rencontrer
Un véritable ami

Celui qui m'accueille
À toute heure du jour
Celui pour qui le temps
Semble sans importance

Celui qui me reçoit
Dans mes jours de tristesse
Ou mes élans de joie
Qui ne juge jamais
Mais sait me confronter
M'inviter à grandir
Celui-là peut vraiment
S'appeler mon ami

Et quelle joie, Seigneur
Quand tu oses me dire
Que je suis ton ami

Quelle joie de savoir
Que tu es toujours prêt
À m'ouvrir ta porte
Quelle que soit l'heure
Et quel que soit le jour

Je sais que tu m'accueilles
Avec toutes mes peurs
Mes peines et mes joies
Mes désirs de bonheur
Et mes manques de foi

Tu m'invites, Seigneur
Dans ta grande amitié
À t'ouvrir grand mon cœur
À être devant toi
Toujours plus transparent
Et à croire que tu es
L'Ami vrai

Festoyer

«Mais il fallait bien festoyer et se réjouir,
puisque ton frère que voilà était mort
et il est revenu à la vie... »
Lc 15,12

Quand tu racontes, Seigneur
La plus belle parabole
Quelque chose me fascine
Et comble mon espérance

Le mot « joie »
Revient comme un refrain
Chargé de l'émotion
Que donne le pardon

Quand tu nous relates
Le retour du prodigue
Tu nous montres le père
Courant à sa rencontre

La joie de ce vieil homme
Est vraiment à son comble
Tout son être rayonne
De la joie du pardon

« Ne faut-il pas danser
Se réjouir et festoyer
Car il est revenu
Lui qui était perdu... »

Tu nous redis toi-même
Qu'il y a dans le ciel
Une très grande joie
Quand un pécheur revient

Seigneur, je veux aujourd'hui
Accueillir ce pardon
Qui donne tant de joie
À Celui qui est Don

Chanceux

« Car j'ai eu faim
et vous m'avez donné à manger... »
Mt 25,35

Comme je les trouvais chanceux
Ces disciples choisis
Qui partout t'ont suivi
Pendant ces trois années

Mais aujourd'hui, Seigneur
Tu viens me dire
Que je peux, moi aussi
Te voir de mes yeux
Te toucher de mes mains

Tu me dis qu'aujourd'hui
Je peux t'accueillir
Dans ma maison
Ou venir te voir
Jusque dans ta prison

Tu me dis qu'aujourd'hui
Je peux soigner tes blessures
Car ta passion continue
Chez tous les condamnés
Que l'on juge chaque jour

Tu me dis qu'aujourd'hui
Je peux te nourrir
Et te vêtir
Quand tu es démuni

Merci, Seigneur
De me rappeler
Que tout ce que je fais
Pour mes frères et sœurs
C'est à toi-même
Que je le fais

Syméon et Anne de Phanouel

Syméon les bénit... Il y avait aussi une prophétesse,
Anne, fille de Phanouel, de la tribu d'Aser...
Lc 2,34.36

Nous sommes à la fin
De notre voyage
Au bout de notre route

Mais au moment où nos jours
Semblent s'éteindre lentement
Au moment où nous demeurons silencieux
À prier dans le Temple
Voilà que tu nous réserves, Seigneur
La joie incomparable
De rencontrer Celui
Que des générations attendaient
Avec espoir

Cette rencontre, Seigneur
Est le couronnement de notre vie
Cette vie
Nous l'avons vécue
Dans un désir toujours plus grand
De ta venue parmi nous

Notre cœur bondit de joie
Car nous t'avons vu
De nos yeux de chair
Toi, le créateur
Et le sauveur de notre monde

Nos mains ont touché
Celui qui était
Bien avant la création

Avec quelle joie, Seigneur
Nous pouvons t'accueillir
Avec quelle reconnaissance
Nous voulons te bénir
Et te remercier

Oui, maintenant
Tu peux laisser partir en paix
Ta servante
Et ton serviteur
Car nos yeux
Ont vu ton salut

Scandale

« Si cet homme était un prophète,
il saurait qui est cette femme
qui le touche… »
Lc 7,38

Tu as scandalisé, Seigneur
Les dévots, les bien-pensants
Par ton accueil des pécheurs
Des pécheresses et des lépreux
Et aussi des étrangers

Tu as scandalisé, Seigneur
Les chefs bien installés
Qui connaissaient la Loi
Et posaient sur les épaules
Des fardeaux qu'eux-mêmes
N'osaient toucher du doigt

Tu as scandalisé, Seigneur
En remettant les péchés
À ce paralytique
Qui n'attendait pourtant
Qu'une guérison physique
Il repartit comblé

Tu as scandalisé, Seigneur
En osant affirmer
Que les prostituées
Précéderaient au Royaume
Ceux qui se croyaient justes
Sans tache et sans reproche

Tu as scandalisé, Seigneur
Les gardiens de la Loi
En faisant du sabbat
Un jour de guérison
Et de libération

Tu as scandalisé, Seigneur
Simon le pharisien
En laissant la pécheresse
Verser sur tes pieds
Ses larmes de regret
Et son meilleur parfum

Et pourtant, Seigneur
Comment peut-on douter
Tu n'as fait que du bien
Partout sur ton chemin
Le Messie de Judée
Était-il trop humain

Matthieu

En passant, il aperçut Lévi, fils d'Alphée,
assis au bureau de la douane, et il lui dit :
« Suis-moi. » Et, se levant, il le suivit.

Mc 2,14

Tu m'as choisi, Seigneur
Pour être ton apôtre
Avais-tu oublié
Quel était mon métier
Percepteur d'impôts

Tu savais bien, Seigneur
Que nous étions marqués
Et déjà condamnés
Par tous ceux qui doutaient
De notre honnêteté

Tu savais bien, Seigneur
Que nous étions classés
Parmi les infidèles
Notre réputation
Nous collait à la peau

Nous étions bien, pourtant
De vrais fils d'Israël
Si ton choix me surprend
Il me comble de joie
Je suis prêt à te suivre

Je le vois bien, Seigneur
Tu regardes le cœur
Et le mien bat très fort
À l'idée de penser
Que tu m'as appelé

Merci de donner place
À ceux qui sont marqués
Par tant de préjugés
Merci de donner vie
À ceux qu'on a tués

Préjugés

« Cessez de juger sur l'apparence... »
Jn 7,24

Malgré les interdits
D'une loi tout humaine
Malgré les préjugés
Trop bien enracinés
Tu as pris le parti
De te laisser toucher
Par ceux qu'on chassait
Et qu'on nommait « lépreux »

Malgré les préjugés
Tu as osé t'asseoir
À la table de ceux
Que l'on avait exclus
Et qui n'étaient pas dignes
De fréquenter le Temple
De s'approcher des grands
Qui se croyaient si purs

Malgré les préjugés
Et le piège tendu
Tu as pris la défense
De la femme déchue
Qu'on traînait devant toi
Comme un vulgaire objet
Avant de lui jeter
La pierre préparée

Malgré les préjugés
Tu t'es laissé toucher
Par cette pécheresse
Qui t'a baisé les pieds
Après avoir versé
Ses larmes de regrets
Et tu as confronté
Simon, le trop parfait

Malgré les préjugés
Tu as daigné parler
À la Samaritaine
Qui, au puits de Jacob
Venait puiser de l'eau
Et tu t'es fait connaître
Comme le vrai Messie
Venu nous libérer

Tu invites, Seigneur
À ne jamais juger
Toi qui seul peux savoir
Les secrets de nos cœurs
Tu viens nous libérer
Et lutter sans pitié
Contre les préjugés

Jean

Alors entre à son tour l'autre disciple,
arrivé le premier au tombeau.
Il vit et il crut.
Jn 20,8

Un tombeau vide
Un suaire plié
Un long silence
Une absence

Et pourtant, Seigneur
Malgré cette apparence
De vide
Le disciple fidèle
Celui que tu aimais
A senti ta présence

Comme il est fort
Cet amour
Qui peut voir
Avec les yeux du cœur

Comme il est puissant
Ce regard de foi
Qui, au-delà des ténèbres
Peut entrevoir la lumière

Il était là, Seigneur
Debout près de ta mère
Au pied de la croix
Au sommet du calvaire

Mais au matin de Pâques
Une folle espérance
L'a conduit au tombeau
Et ce fut l'allégresse

Merci pour cette foi
Qui peut lire les signes
Pour oser proclamer
« Il est ressuscité… »

Baptême de Jésus

Alors paraît Jésus : de Galilée
il vient au Jourdain vers Jean
pour être baptisé par lui.
Celui-ci voulait l'en détourner.
Mt 3,13-14

Je ne comprenais pas, Seigneur
Comment tu pouvais te présenter
Pour être baptisé
Toi qui venais
Nous libérer

Les foules nombreuses
Accouraient au baptême
Dans un désir sincère
De purification

Elles venaient porter
Leurs infidélités
Pour retrouver la paix
D'un cœur souvent trop lourd

Mais quand tu es venu
Comme tous ces pécheurs
Dans les eaux polluées
J'ai voulu m'opposer

Je n'avais pas compris
Que celui qui pouvait
Baptiser dans l'Esprit
Relevait ce défi

Je ne pouvais comprendre
Que dans cette démarche
Tu acceptais de prendre
Tous les péchés du monde

Mais quand les cieux s'ouvrirent
Pour dire tout l'amour
Que te portait le Père
Mon âme fut ravie

Je rends grâce, Seigneur
Pour un si grand mystère
Dieu s'est fait l'un de nous
Pour être notre frère

Bienheureux les pauvres

« Heureux, vous les pauvres,
car le Royaume de Dieu est à vous. »
Lc 6,20

Comme ils sont riches
De générosité
Et d'accueil
De don
Et d'abandon
De simplicité
Et d'amitié
Ces pauvres
Habitués
À laisser leurs portes
Et leurs cœurs
Ouverts

Comme il est beau
Ce geste de la veuve
Qui jette dans le tronc
À la sortie du Temple
Les seules pièces d'argent
Dont elle aurait besoin
Pour pouvoir acheter
Quelques morceaux de pain

Comme ils sont magnifiques
Ces pauvres qui accourent
Auprès des sinistrés
Pour leur offrir une aide
Habitués qu'ils sont
À l'insécurité
Et confiants que demain
Ils seront épargnés

Bienheureux les pauvres
Qui savent partager
Un sourire, un bon mot
Un service gratuit
Toi, tu les comprends bien
Quand tu t'es fait l'un d'eux
Tu ne possédais rien

Si tu n'avais pas cru

Et le Verbe s'est fait chair
et il a demeuré parmi nous...
Jn 1,14

Si tu n'avais pas cru, Seigneur
En chacun de tes disciples
Y aurait-il eu quand même
Un dernier repas
Avant de vivre ta Passion

Si tu n'avais pas cru, Seigneur
En la bonté de cœur
De ton ami Zachée
Te serais-tu invité
Pour prendre chez lui le dîner

Si tu n'avais pas cru, Seigneur
Au repentir sincère
De Marie, la pécheresse
Lui aurais-tu permis
De te baiser les pieds

Si tu n'avais pas cru, Seigneur
Au regret de Simon
Après le reniement
Lui aurais-tu donné
Les clés de ton Église

Si tu n'avais pas cru, Seigneur
En la Samaritaine
Lui aurais-tu confié
Les secrets du Royaume
Et ton identité

Si tu n'avais pas cru, Seigneur
En la nature humaine
Aurais-tu accepté
De prendre notre chair
Pour nous diviniser

Disciples fragiles

« … ils ont cru que tu m'as envoyé.
Je prie pour eux… »
Jn 17,9

Tu nous connaissais bien, Seigneur
Nous, tes disciples
De la première heure

Nous avions vécu avec toi
Nous nous étions enthousiasmés
Devant tes miracles
Et ceux que tu nous permettais
D'accomplir en ton nom

Nous avions goûté tes paroles
Et ce message tellement nouveau
Et différent de celui des grands prêtres
Qui prêchaient dans le Temple

Tu as connu, Seigneur
Nos humaines ambitions
Et notre empressement
À vouloir confondre
Ceux qui refusaient
De nous accueillir

Tu as été témoin aussi
De nos folles discussions
Où nous nous demandions
Qui serait le premier
Au Royaume des cieux

Devant les jours si sombres
Qui s'annonçaient pour toi
En même temps que pour nous
Tu n'as pas voulu
Nous laisser sans défense

Tu nous as gardé, Seigneur
Une place de choix
Dans ta prière au Père
Sachant que nous allions errer
Comme brebis
Sans pasteur

Merci, Seigneur
D'avoir pensé à nous
Dans ta prière au Père

Merci de continuer
Ta fervente prière
Pour ces autres disciples
Qui viendront après nous
Car tu connais si bien
Leurs fragilités

Miséricorde

« Confiance, mon enfant, tes péchés sont remis... »
Mt 9,2

Pardonne-moi, Seigneur
D'oser désespérer
De ta bonté
En croyant mon péché si grand
Qu'il ne pourra jamais
Être pardonné

Pardonne-moi, Seigneur
D'avoir si mal compris
Que le retour du prodigue
Devenait pour le père
Source de joie profonde
Et occasion de fête

Pardonne-moi, Seigneur
De ne chercher à regarder
Que la lourdeur de mon péché
Plutôt que ton désir
De me rendre la vie
Et de me libérer

Pardonne-moi, Seigneur
De trop souvent fermer la porte
Ne me croyant pas digne
De t'accueillir chez moi
Alors que ton désir
Est de partager
Sous mon toit
Le repas d'amitié

Aimer

*« Si quelqu'un m'aime,
il gardera ma Parole,
et mon Père l'aimera
et nous viendrons à lui
et nous ferons chez lui
notre demeure... »*
Jn 14,23

Tu n'imposes pas, Seigneur
Ton amour

Mais tu l'offres
Avec tant d'abondance
Et de gratuité

Tu nous as aimés, Seigneur
Jusqu'à nous introduire
Dans l'intimité
De ton Père
Tu nous as aimés
Jusqu'au don de ta vie

Comment le refuser
Comment négliger ta Parole
Quand tu nous parles
De l'amour d'un père
Qui accueille son fils
Malheureux et déchu
Et qui invite à la fête
Toute la maisonnée

Merci, Seigneur
De venir jusqu'à nous
En compagnie de ton Père
Pour y faire ta demeure

Avec reconnaissance
Je veux ouvrir
Toute grande
Ma porte

CHAPITRE III

Cris de demande

« Si tu le veux
tu peux me purifier… »
Lc 5,12

« Seigneur,
celui que tu aimes est malade… »
Jn 11,3

« Seigneur,
répondit l'officier,
descends avant que ne meure
mon petit enfant… »
Jn 4,49

« Tombant aux pieds de Jésus,
il le suppliait de venir chez lui… »
Lc 8,41

« Eh bien ! moi, je vous le dis :
demandez et l'on vous donnera… »
Lc 11,9

Nous croyons, Seigneur
Que nos cris
Parviennent
Jusqu'à toi

Prête-moi

Jésus fixa sur lui son regard et l'aima.
Mc 10,21

Prête-moi ton regard, Seigneur
Que je puisse comme toi
Voir en chaque personne
Une mèche qui fume
Et n'attend que ce jour
Pour s'embraser d'amour

Prête-moi ton regard
Libre de préjugés
Qui jamais ne condamne
Mais qui invite à marcher
Dans la joie, la confiance
Et la paix retrouvée

Prête-moi donc tes mains, Seigneur
Que je puisse servir
Comme tu le fis si bien
À ce dernier repas
Avant d'aller mourir
Cloué sur une croix

Prête-moi donc tes mains
Que je puisse accueillir
Tous ces êtres humains
Qui n'ont qu'un seul désir
Aimer et être aimés
Pour sans cesse grandir

Mais prête aussi ton cœur, Seigneur
Pour que je puisse aimer
Bénir et pardonner
Oubliant les rancœurs
Qui risquent d'aggraver
Les blessures passées

Oui, prête-moi ton cœur
Si grand, si généreux
Prête-moi ta douceur
C'est pour toi que je veux
M'ouvrir à tous ceux
Qui te cherchent ici-bas

Soif

« Qui boira de l'eau que je lui donnerai
n'aura plus jamais soif. »
Jn 4,14

Seigneur, j'ai soif
Soif de ton eau vive
Qui désaltère
Et guérit

J'ai soif
De ta parole
Qui donne l'espérance
Et la certitude
Que tu es là
Toujours prêt
À porter avec nous
Le fardeau
Qui trop souvent
Pèse sur nos épaules

J'ai soif de t'aimer
Toi, l'ami véritable
Qui jamais n'abandonne
Celui qui crie vers toi
Toi qui sais accueillir
Nos intimes secrets
Nos lourdes solitudes

J'ai soif de goûter
Avec toi le silence
En présence du Père
Au cœur de mes déserts
Et tomber dans ses bras
Comme le fils prodigue
Blessé, désemparé
Qui ne sait plus prier

J'ai soif, Seigneur
De vivre en ta présence
Sans peur du lendemain
Et confiant que toujours
Tu montres le chemin
Qui conduit à l'amour
Qui conduit à la vie

J'ai toujours soif, Seigneur
De connaître ton nom
Et de le proclamer
À mes sœurs et frères
Qui cherchent la lumière
Dans un monde trop froid
Qui parfois désespèrent
Oubliant que par toi
La vie reprend ses droits

Donne-moi cette eau vive
Que je n'aie plus, Seigneur
À chercher d'autres sources
À puiser dans le vide

Donne-moi cette eau vive
Qui peut désaltérer
Et redonner la vie
À mon cœur assoiffé

Puissance

« Toi qui détruis le Temple et en trois jours le rebâtis,
sauve-toi toi-même, si tu es fils de Dieu,
et descends de la croix ! »
Mt 27,40

Je voudrais tant, Seigneur
Que tu descendes de la croix
Pour confondre tes ennemis

Je voudrais tant, Seigneur
Que tu sortes de ton silence
Ce silence des sans-voix
Ce silence des condamnés
Et des exploités

Je voudrais tant, Seigneur
Que tu te manifestes
Non pas dans l'impuissance
Mais dans un coup d'éclat
Une action triomphante

Je voudrais tant, Seigneur
Que tu apparaisses
Du côté des forts

Comment peut-on reconnaître
Un Dieu si faible et démuni
Comment peut-on reconnaître
Un Dieu qui se laisse insulter
Et crucifier
Sans mot dire

Si tu avais accepté, Seigneur
De descendre de la croix
Pour faire taire d'un seul coup
Ceux qui te condamnaient
Tu aurais été le Dieu des forts
Le Dieu des puissants

Tu aurais été le Dieu
Que je réclame si souvent
En souhaitant que tu viennes
Écraser mes ennemis
Pour faire taire enfin
Tous ceux qui se moquent

Mais tu as voulu
Connaître l'impuissance
Et la faiblesse humaine
Pour nous donner ta force

Tes pensées, Seigneur
Ne sont pas les miennes

Semence

« Qu'il dorme ou qu'il se lève, la nuit ou le jour,
la semence germe et pousse, il ne sait comment. »
Mc 4,27

Je voudrais croître, Seigneur
Jour et nuit
Comme le blé
Jeté dans le champ fertile
Et qui prend racine
Pour grandir à tout vent
Et produire ses fruits

Je voudrais que chaque jour
Comme le blé sous le soleil
Mon cœur tendu vers toi
Se tourne vers la lumière
Et la vie qu'en abondance
Tu promets à ceux qui croient

Je voudrais bien, Seigneur
Me laisser pénétrer
Par l'eau vive
Que tu promis
À la Samaritaine
Et qui vient désaltérer
Ceux qui te cherchent
Assoiffés

Comme je voudrais
Porter beaucoup de fruit
Pour nourrir tous ceux
Qui se meurent de faim
Et qui cherchent réconfort
Et tendresse et soutien

Je voudrais que ma vie
Soit tendue vers le ciel
Comme ce plant de blé
Nourri de bonne terre
Qui sait si bien louer
Celui qui le fait croître

Recherche

Il dit à la femme :
« Ta foi t'a sauvée ; va en paix. »
Lc 7,50

Je voudrais tellement croire, Seigneur
Que tu es celui qui guérit
Et qui donne la vie
En abondance

Je voudrais tellement croire, Seigneur
Que tu es chaque jour
Celui qui m'accompagne
En permanence

Je voudrais tellement croire, Seigneur
Que tu es en celui
Qui réclame mon aide
Gratuitement

Je voudrais tellement croire, Seigneur
Que ton généreux pardon
S'adresse aussi à moi
Personnellement

Je voudrais tellement croire, Seigneur
Que le don de ta vie
Fut fait pour moi aussi
Éternellement

Je voudrais tellement croire, Seigneur
Que c'est toi que je rencontre
Dans mon frère blessé
Dans ma sœur humiliée

Je voudrais tellement croire, Seigneur
Que c'est toi qui, chaque jour
Viens frapper à ma porte
Pour me dire bonjour

Multiplication des pains

En débarquant,
il vit une grande foule
et il en eut pitié...
Mc 6,34

Nous sommes les affamés, Seigneur
Que tu prends en pitié
Nous errons trop souvent
Dans le désert
De nos richesses
De nos vies encombrées
Et de nos courses folles

Nous courons à tout vent
Sans même nous demander
Ce que nous cherchons

Ne sommes-nous pas, Seigneur
Ces tristes affamés
Aux ventres bien trop pleins
Oubliant si souvent
Que le seul pain de vie
Qui peut combler la faim
C'est toi qui nous le donnes
Avec tant d'abondance
Avec tant de bonté

Oui, donne-nous, Seigneur
Le vrai pain quotidien
Pour lequel tu invites
À prier notre Père
Qui seul peut rassasier
La faim d'éternité

Condamné

« Qui d'entre vous d'ailleurs peut, en s'en inquiétant,
ajouter une coudée à la longueur de sa vie ?... »
Lc 12,25

Je suis condamné, Seigneur
Le verdict est très clair
En aucun cas
Je n'y échapperai

Déjà, mon pas ralentit
Et les os me font mal
Les muscles s'engourdissent
Mon souffle se fait court

Les malaises s'attardent
Et souvent le vertige
Vient embrouiller la vue
Et figer le sourire

Les enfants me regardent
De leurs yeux étonnés
On dirait qu'ils ont peur
De me voir trébucher

J'avais pourtant, Seigneur
Tant et tant de projets
Le temps passe trop vite
Souvent je suis inquiet

En toi qui as vécu
Notre éphémère vie
Je veux bien me confier
Sans craintes, sans soucis

Et quand viendra le temps
Où arrivera la fin
Je veux que tu sois là
Pour me tenir la main

Où demeures-tu ?

« Rabbi – ce mot signifie Maître –, où demeures-tu ? »
« Venez et voyez… »
Jn 1,38-39

Maître
Où demeures-tu
Que j'aille moi aussi
Te rencontrer
Toi qui as
Les paroles de vie

Où puis-je te trouver
Seigneur
Et puiser à la source
Pour étancher ma soif
De vraiment te connaître
Et de te suivre partout

Qui te suit, Seigneur
Ne marche pas
Dans les ténèbres
Car tu es
La vraie lumière
Qui brille dans la nuit

Seigneur
Je veux te suivre
Et proclamer bien haut
Comme Jean le Baptiste
Que tu es le Messie
Qui vient nous libérer

Esprits mauvais

Et il s'en alla à travers toute la Galilée,
prêchant dans leurs synagogues
et chassant les démons.
Mc 1,39

Tu as chassé, Seigneur
Beaucoup d'esprits mauvais
Quand tu t'es promené
Sur le chemin de Galilée

Mais ils reviennent en force
Dans toutes nos contrées
Et dans toutes nos villes
Ils placent leurs quartiers

Ils s'appellent tricherie
Pots-de-vin, corruption
Détournements de fonds
Massacres et tueries

Ils fomentent les guerres
Provoquent les famines
Ils sont friands des armes
Qui sèment la terreur

Ils créent l'indifférence
Inventent le mensonge
Adorent la misère
Et trompent notre monde

Mais toi qui es venu
Pour nous donner ta vie
Viens chasser ces esprits
Et libérer nos routes

Incompatibilité

« Voici mon commandement :
Aimez-vous les uns les autres
comme je vous ai aimés... »
Jn 15,12

Tu me demandes, Seigneur
D'aimer comme tu aimes
Mais je dois t'avouer
Avec sincérité
Qu'il m'est difficile
D'accueillir cette femme
Qui semble avoir le don
D'éteindre mes énergies
Chaque fois que je la rencontre

J'essaie pourtant de me convaincre
De lui trouver des qualités
Et de comprendre ses blessures
Mais c'est peine perdue
On dirait que plus je cherche
Et plus je m'efforce
De l'apprécier, de l'accueillir
Plus je reviens déçu

Je voudrais bien, Seigneur
Pouvoir la regarder
Avec tes propres yeux
Mais chaque fois que j'essaie
Mon regard s'embrouille
Et mon esprit s'égare
Je ne peux plus penser

Je dois bien reconnaître
Ma grande pauvreté
Et je fais le souhait
Que tu puisses m'aider
À reconnaître enfin
Que c'est toi qui m'attends
Et demandes encore
De t'ouvrir la porte
Gratuitement

Libère-moi

Mais lui, voulant se justifier, dit à Jésus :
« Et qui est mon prochain ?... »
Lc 10,29

Libère-moi, Seigneur
De la tentation
De me refermer
Sans penser au prochain

Libère-moi, Seigneur
De la tentation
De me forger un Dieu
Qui n'est fait que pour moi

Libère-moi, Seigneur
De la tentation
De me croire parfait
En méprisant les autres

Libère-moi, Seigneur
De la tentation
De fermer ma maison
À l'étranger exclu

Libère-moi, Seigneur
De la tentation
De vouloir tout garder
Sans pouvoir partager

Libère-moi, Seigneur
De tant de préjugés
Prête-moi ton regard
Si rempli de bonté

Remise de dette

Apitoyé, le maître de ce serviteur
le relâcha et lui fit remise
de sa dette.
Mt 18,27

Comment refuser de remettre
Une si petite dette
À mon frère
Quand tu montres, Seigneur
Tant de joie
À remettre la mienne
Qui est si grande

Comment refuser le pardon
Sans arrière-pensée
Et sans conditions
Quand tu montres, Seigneur
Tant de gratuité
Oubliant mon passé
Tellement encombré

Chaque fois que me prend
L'envie de me venger
Pour sauver mon honneur
Ton pardon accordé
Me revient en mémoire
Et m'invite à changer
Les pensées de mon cœur

Devant tous tes pardons
Si souvent accordés
Ne permets pas, Seigneur
Que j'oublie un moment
Tes gestes de bonté
Et donne-moi enfin
De pouvoir t'imiter

Aveugle

Comme Jésus s'en allait,
deux aveugles le suivirent, qui criaient :
« Aie pitié de nous, Fils de David... »
Mt 9,27

Ils criaient vers toi, Seigneur
Ces deux aveugles
Ils demandaient
La guérison

Mais au moment
Où ils criaient
Déjà ils voyaient
Beaucoup mieux que plusieurs
De leurs contemporains

Ils voyaient
Avec les yeux du cœur
Et les yeux de la foi
Déjà, Seigneur
Ils voyaient ta puissance
Et ta capacité
À redonner la vie
À leur rendre la vue

Déjà ils voyaient
Les merveilles de Dieu
Et leurs cris vers toi
Stimulaient leur foi

Si tu as pu, Seigneur
Soulager ces aveugles
Répondre à leur prière
Pour leur rendre la vue

Je suis sûr que tu peux
Guérir la cécité
Qui m'empêche de voir
Tant et tant de merveilles
Accomplies parmi nous

Ouvre mes yeux, Seigneur
Qui trop souvent se ferment
Ouvre mes yeux, Seigneur
C'est toi mon seul espoir

Volonté de Dieu

*« Car ce n'est pas ma volonté que je cherche,
mais la volonté de celui qui m'a envoyé. »*
Jn 5,30

Il est difficile, Seigneur
De faire la volonté du Père
La porte est si étroite
Et la route inconnue

Mais je suis sûr
Que cette volonté
Ne peut faire autrement
Que conduire au bonheur

Un père oserait-il
Présenter un caillou
À son fils qui demande
Un morceau de son pain

Tu as voulu, Seigneur
Durant toute ta vie
Te laisser diriger
Par cette volonté

Comme le bon berger
Tu as mis tant d'amour
Pour guider les brebis
Qu'il t'avait confiées

Seigneur, tu nous invites
À nous abandonner
Et à suivre le chemin
Qui conduit à la vie

Tu nous as dit aussi :
« La volonté du Père
C'est bien que vous donniez
Abondance de fruits… »

Si j'ai peur parfois
De cette volonté
Éclaire-moi, Seigneur
Toi qui l'as proclamée

Martyre d'Étienne

«Ah! dit-il, je vois les cieux ouverts
et le Fils de l'homme
debout à la droite de Dieu...»
Ac 7,56

Un premier martyr, Seigneur
Après ta venue parmi nous
Un premier martyr
Prêt à témoigner
Que tu es bien vivant

Quelle folie
Pour qui ne comprend pas
Que le don de sa vie
Ouvre sur la lumière
Qui jamais ne s'éteint

Combien d'autres suivront
Cet exemple d'Étienne
Pour témoigner bien fort
Que tu es le sauveur
Qui vient nous libérer

Qu'ils sont nombreux, Seigneur
Tous ces nouveaux martyrs
Qui, devant l'injustice
Refusent de se taire
Acceptent de mourir

Que le sang des martyrs
Féconde notre monde
Et redonne vigueur
À tous ceux qui succombent
Au doute et à la peur

Les étrangers

Or voici qu'une Cananéenne,
étant sortie de ce territoire,
se mit à lui crier :
«Aie pitié de moi, Seigneur...»
Mt 15,22

Que de peurs
Et de méfiance
Devant ces étrangers
Si différents de nous

Que de malentendus
Et que de préjugés
Trop vite répandus
Sur ces nouveaux venus

Tu n'as pas craint, Seigneur
De t'ouvrir à ceux
Qu'on regardait de haut
Eux qui venaient d'ailleurs

Tu n'as pas craint, Seigneur
De citer en exemples
Le général syrien
Et la veuve de Sidon

Tu n'as pas craint, Seigneur
Devant la grande foi
De la Cananéenne
D'exaucer sa demande

Tu n'as pas craint, Seigneur
D'adresser la parole
À la Samaritaine
Venue puiser de l'eau

Tu invites, Seigneur
À prier notre Père
Guéris-nous de la peur
D'accueillir notre frère

Création

«Moi, je suis venu
pour que les brebis aient la vie
et l'aient en abondance...»
Jn 10,10

Comment puis-je, Seigneur
T'accuser de tous les maux
Quand tu n'es que Vie
Et quand tu n'es qu'Amour

Quand je vois ta création
Ses immenses galaxies
Et la multitude de fleurs
D'arbres et de fruits
D'oiseaux et d'animaux

Quand je vois le soleil
Si puissant et radieux
Déversant sur la terre
Tant d'énergie et tant de vie

Quand j'observe l'enfant
Au regard si pur
Et si brillant
Comment puis-je douter
Devant tant de beautés

Comment puis-je te reprocher
La souffrance si lourde
Et la bêtise humaine

Tu n'as pas créé, Seigneur
Les guerres inhumaines

Tu n'as pas créé la haine
L'intolérance et l'injustice
Les prisons et les tortures

Tu n'as pas créé non plus
Les guerres de religion

Tu as créé la vie
Tu as créé l'amour
Et la joie et la fête
Et la bonté du cœur

Apprends-moi donc, Seigneur
À vivre chaque jour
Comme tu l'as voulu
Dans la paix, l'harmonie
Et le désir sincère
D'être porteur de vie

Sel de la terre

« Vous êtes le sel de la terre...
Vous êtes la lumière du monde... »
Mt 5,13-14

Quand tu me dis, Seigneur
Que je dois être sel
Qui donne la saveur
Aide-moi, je te prie
À ne pas m'affadir
À l'usure du temps

« Si le sel s'affadit
Il n'est plus bon à rien... »
C'est ce que tu me dis
Mais je sais qu'avec toi
Il reprend la saveur
Qui redonne vigueur

Quand tu m'invites aussi
À être pour le monde
La lumière qui brille
Ne permets pas, Seigneur
Que s'éteigne soudain
La lampe du chemin

Devant tant de ténèbres
Cherchant à pénétrer
Au plus profond de moi
Je te supplie, Seigneur
Viens envahir mon cœur
De ta lumière à toi

Respect

Il redescendit alors avec eux à Nazareth,
et il leur était soumis.
Lc 2,51

Avec quel respect, Seigneur
Tu as été soumis
À Joseph et Marie
Après votre visite
Au Temple de prière

Avec quel respect
Tu as été présent
À chacun des apôtres
Malgré leurs ambitions
Et leurs vues trop humaines

Avec quel respect
Tu voulus accepter
Leur lenteur à comprendre
Et leur foi si fragile

Avec quel respect, Seigneur
Tu osas fréquenter
Les pauvres, les pécheurs
Les blessés de la vie
Qu'on avait rejetés

Chaque fois que je croise
Quelqu'un sur mon chemin
Rappelle-moi, Seigneur
C'est toi que je rencontre
Apprends-moi le respect

Semeur

« La semence, c'est la Parole
qu'il sème... »
Mc 4,14

Comme le vrai semeur
Répand en abondance
Le grain qui va germer
Tu sèmes ta Parole
En chacun de nos cœurs

Ne permets pas, Seigneur
Que les mille soucis
Et l'envie des richesses
Viennent vite étouffer
Cette frêle semence

Ne permets pas non plus
Que se perde en chemin
Ta Parole sacrée
Qui nourrit l'espérance
Et soude l'amitié

Que notre cœur accueille
Dans la reconnaissance
Ton message de vie
Que croisse la semence
Qu'elle porte du fruit

Toi, le vrai jardinier
Qui multiplias les pains
Pour nourrir les foules
Viens rassasier enfin
Notre monde affamé

Pourquoi ?

« Oui, comme je vous ai aimés,
aimez-vous les uns les autres. »
Jn 13,34

Pourquoi tant de destructions, Seigneur
Quand tu nous invites
À prendre un soin jaloux
De ta création

Pourquoi tant de gaspillage
Quand tu nous demandes
De partager le pain
Avec les affamés

Pourquoi tant de combats
Quand tu es venu
Pour nous apprendre
À nous aimer

Pourquoi tant d'ambitions
Quand tu nous as montré
À devenir serviteurs
De nos frères et sœurs

Pourquoi tant de différences
Entre riches et pauvres
Quand tu nous invites
À partager

Tu es venu, Seigneur
Tu as pris notre vie
Apprends-nous à aimer
Comme tu l'as souhaité

CHAPITRE IV

Cris de souffrances

Et Yahvé dit :
« J'ai vu, j'ai vu
la misère de mon peuple
qui réside en Égypte. »
Ex 3, 7

Souffrances de la faim
Et du dénuement

Souffrances de l'exil
Et de la solitude

Souffrances de la guerre
Inhumaine et barbare

Souffrances du silence
Chargé d'accusations

Souffrances des enfants
Malmenés, sans défense

Que de cris et de pleurs
De souffrances, de peurs
Montent vers toi
Seigneur

Maladie

*« Si le grain de blé ne tombe en terre
et ne meurt, il reste seul... »*
Jn 12,24

Quand, tordu de souffrances
Comme un arbre brisé
Sous la force du vent
Quand aucune présence
Ne peut me rassurer
Comme on calme un enfant
Mille et une questions
Assaillent mon esprit
Je cherche la raison
Qui m'accroche à la vie

Mais pourquoi faut-il donc
Qu'éclate le bourgeon
Pour faire naître la fleur
Pourquoi est-il si long
Ce jour de la Passion
Et pourquoi tant de pleurs

Pourquoi faut-il aussi
Que s'entrouvre la terre
Qui conserve le fruit
Pendant le dur hiver

Tu l'avais dit, pourtant
Un jour, en Galilée
« Le grain qui ne meurt pas
Ne peut donner la vie »

Quand j'étais bien portant
J'étais loin de penser
Qu'un jour la maladie
Viendrait me visiter
Comme vient l'ennemi
Sans merci, sans pitié

Seigneur, tu as crié
Toi aussi, vers le Père
« Pourquoi m'abandonner
Aux mains de ces bourreaux… »
Ce cri, je le reprends
Du fond de ma misère
Je sais que tu es là
Pour calmer mon tourment
Et redire à ton Père
Que je suis son enfant

Stérilité (Élisabeth et Zacharie)

Mais ils n'avaient pas d'enfant,
pour la raison qu'Élisabeth était stérile...
Lc 1,7

Nous avons tant souffert
De ne pouvoir donner
La vie à un enfant
Issu de notre chair
Partageant notre sang
Nous l'aurions tant aimé

Mais les jours, les années
Fuyaient à vive allure
Et l'espoir de porter
Un enfant bien-aimé
Cachait cette blessure
De la stérilité

Nous fréquentions le Temple
Où nous puisions la force
Auprès de notre Dieu
Nous goûtions à l'Alliance
De ce peuple qui porte
Un trésor merveilleux

Puis un jour, la promesse
De voir surgir la vie
Nous fut faite par l'ange
« Ce sera l'allégresse
La joie et la louange... »
Dit-il à Zacharie

Nous voyons maintenant
Qu'elle n'était pas vaine
Notre grande souffrance
Toi, le Dieu des vivants
Tu effaces la peine
Et combles l'espérance

Merci pour cet enfant
Cadeau de l'Esprit Saint
Et fruit de la promesse
C'est vrai qu'il sera grand
Il viendra, c'est certain
Combler notre vieillesse

Merci à toi, Seigneur
Qui entends nos prières
Et comprends notre peine
Merci d'être à toute heure
Celui qui porte au Père
Nos souffrances humaines

Crise de foi

Jésus en personne s'approcha et fit route avec eux ;
mais leurs yeux étaient empêchés de le reconnaître.
Lc 24,15-16

Tes mains nous avaient touchés
Avec tant de respect
Tes yeux nous avaient regardés
Avec tant de profondeur
Ton cœur nous avait rencontrés
Avec tellement d'amitié

Tu nous avais fait naître
Tu nous avais révélé
Notre grande dignité
Tu nous avais donné
Goût à la vie
Et vie en plénitude
Mais en ce vendredi
Tout s'était évanoui

Depuis ce jour
Nous errions sans entrain
Comme des brebis égarées
Nous étions perdus comme des enfants
Abandonnés par leurs parents
Nos épaules semblaient porter
Le désespoir du monde
Et le fardeau de tout un peuple
Portant cette souffrance humaine
Nous marchions sans but
Nous avancions sans vie

Notre désillusion
Semblait plus grande encore
Que la grande espérance
Qui nous avait guidés
Nous qui pensions
Que tu étais envoyé
Pour libérer le peuple
Si longtemps écrasé

Nous avions goûté
Chacune de tes paroles
Nous avions vu tant des nôtres
Retrouver la santé
Et la force et la vie
Tant de joie et de paix
Rayonnait de partout

Les aveugles voyaient
Et les sourds entendaient
Les lépreux étaient purifiés
Les paralytiques marchaient
Les muets te louaient

Les foules affamées
Partageaient le festin
Des pains et des poissons
On venait de partout
Pour boire ton message
Tellement libérateur
Et rempli d'espérance

Mais comment expliquer
Cette haine des chefs
Qui se bouchaient les yeux
Devant tant de prodiges
Comment pouvaient-ils refuser
De croire en ta parole
Quand jamais aucun homme
N'avait ainsi parlé

L'horizon était sombre
Nous marchions en silence
Sans but, sans entrain
Jusqu'à ce que tu viennes
Éclairer notre route

À la fraction du pain
Notre cœur tout brûlant
A reconnu enfin
Que tu étais vivant
Depuis cette rencontre
Nous proclamons partout
Les merveilles de Dieu
Nous croyons maintenant
Que tu es le Messie
Qui a vaincu la mort
Et qui appelle à la vie

Nous n'avions pas compris
Qu'il fallait que tu meures
Pour redonner la vie
À nos frères et sœurs
Trop longtemps condamnés

Toi, l'étranger
Tu as guéri nos cœurs
Si blessés et si lourds
Et quand tu nous parlais
Ces cœurs si refroidis
Redevenaient brûlants
Pleins de paix et de vie

À tous ceux-là qui errent
Sur de trop longues routes
Seuls et désespérés
Donne donc de goûter
La joie de rencontrer
Un ami étranger

Tu es là

*Il vit une grande foule et il en eut pitié,
et il guérit leurs infirmes.*
Mt 14,14

Tu ne peux supporter, Seigneur
De voir tant de misères
Dans ce monde blessé
Où tu t'es incarné

Chaque jour, sur les routes
Des aveugles supplient
Et retrouvent la vue
Tu écoutes leurs cris

Quand les lépreux s'approchent
Tu oses les toucher
Et tu guéris les plaies
De ces gens humiliés

Quant au paralytique
Gisant sur son grabat
Tu remets les péchés
Et tu délies ses pas

À cette pauvre femme
Qui touche ton vêtement
Dans un geste de foi
Tu guéris le tourment

Au tombeau de Lazare
Tu ressens la tristesse
Et tu redonnes la joie
Aux deux sœurs en détresse

Aux foules affamées
Risquant de défaillir
Tu partages le pain
Tu sais comment nourrir

Si aujourd'hui, Seigneur
Tu vois tant de blessures
De peines et de pleurs
Tu es là, j'en suis sûr

Bethesda

« Seigneur, lui répondit l'infirme,
je n'ai personne pour me plonger
dans la piscine. »
Jn 5,7

J'étais seul
Paralysé
Incapable de me déplacer
Par moi-même
J'étais dépendant
Du bon vouloir
De mes voisins

Mais je vivais
Une solitude
Plus grande encore
Que mon impuissance
À marcher

On passait devant moi
Sans trop me voir
Sans voir mon indigence
Et mon désir
De guérison

Et jour après jour
Je restais seul
Devant cette piscine
Avec ma solitude
Et mon infirmité

Mais quand tu es venu
Quand tu m'as demandé
Si je voulais guérir
J'ai vite reconnu
Que tu pouvais agir

Comment te remercier
Pour cette délivrance
Tu m'as enfin délié
De toute la souffrance
De mon corps si blessé

Mais tu as fait beaucoup plus
Seigneur
Tu m'as enfin sorti
De la solitude
Quand tu as osé
Me parler

Chômeur

« Voilà pourquoi je vous dis :
ne vous inquiétez pas pour votre vie
de ce que vous mangerez... »
Mt 6,25

J'ai un triste métier, Seigneur
Depuis nombre d'années
Je suis chômeur

Il me semble pourtant
Que je sais travailler
Depuis longtemps je cherche
Sans jamais rien trouver

Je connais le refrain
Sans cesse répété
Revenez-nous demain
Nous pourrons vous aider

Qu'elle est difficile
Ta parole, Seigneur
Quand tu m'invites
À ne pas me préoccuper
Du lendemain

À certains moments
La révolte m'envahit
Et le découragement
Prend souvent le dessus

Mes enfants sont inquiets
Nous vivons pauvrement
Les amis que j'avais
S'éloignent lentement

Je veux croire, Seigneur
Que tu es avec nous
Mais j'ai parfois si peur
Souvent, je suis à bout

Je veux ce soir, Seigneur
Te livrer ma détresse
Te donner ma révolte
C'est tout ce qu'il me reste

Lourd fardeau

*« Venez à moi, vous tous qui peinez et ployez
sous le fardeau, et moi je vous soulagerai. »*
Mt 11,28

Il est lourd
Mon fardeau, Seigneur
Tant d'inquiétudes
Et d'insécurités
Envahissent ma vie

Il est lourd
Mon fardeau
Et comme Marie
Je garde trop souvent
Mes peines et mes peurs
Au plus profond du cœur
Sans pouvoir les confier

Il est lourd, le fardeau
Des apôtres zélés
Qui voudraient tant aider
Ceux qui portent une croix

Il est lourd, le fardeau
De ceux qu'on a trahis
Et traînés dans la boue
Sans pitié, sans merci

Il est lourd, le fardeau
Des enfants affamés
Torturés, violentés
Qui n'ont comme défense
Que des cris et des pleurs

Il est lourd, le fardeau
De tous ces mal-aimés
Qui traînent dans la nuit
Leur triste solitude

Il est lourd, le fardeau
De celui qui vit seul
Sans parents, sans amis
Sans aucune espérance

Il est lourd, le fardeau
Des femmes oubliées
Devant assurer seules
La marche du foyer

Il est lourd, le fardeau
Des couples qui croyaient
Leur amour éternel
Et qui se sentent trahis

Il est lourd, le fardeau
Des parents déçus
De leur enfant révolté
Qui ne sait plus aimer

Il est lourd, le fardeau
De la veuve isolée
Qui vit de souvenirs
Seule, désemparée

Il est lourd, le fardeau
De l'homme déchu
Et bourrelé de remords
Après un long procès

Mais maintenant, Seigneur
Je voudrais partager
Ces fardeaux trop pesants
Pour mes seules épaules

Je veux prendre en mon cœur
Et porter avec toi
Tous ces fardeaux si lourds
Que portent tes enfants

Séparation

« Cessez de juger sur l'apparence... »
Jn 7,24

Avec quels déchirements, Seigneur
Je vis ce triste deuil
De la séparation

Je ne m'étais pas engagée
Pour en arriver là
J'espérais un amour
Qui ne s'éteindrait pas

Nous nous étions préparés
Avec tant de sérieux
Pour vivre l'harmonie
Et la fidélité

Nous avions mis notre esprit
Mais aussi notre cœur
Dans ce projet humain
Où tout semblait si beau

Nous voulions que tu sois
Au cœur de notre amour
Nous n'avions qu'une envie
Témoigner de ta vie

Mais pourquoi faut-il donc
Que tout s'écroule ainsi
Après tellement d'efforts
Après tant de combats

Les enfants nous regardent
Ne sachant trop que dire
Au fond de leurs grands yeux
Je peux lire la blessure

Les voisins bien-pensants
Nous évitent et nous fuient
Le regard méprisant
Prêts à jeter la pierre

Qui donc peut condamner
Qui donc peut nous juger
Quand ils ignorent tout
De nos âmes blessées

Mais à toi, Seigneur
Je peux me confier
Sans gêne et sans peur
De me voir condamnée

Suicide

«*Mon Père, s'il est possible,
que cette coupe passe loin de moi!...*»
Mt 26,39

Pourquoi, Seigneur
Cette trop courte vie
Qui devrait être si belle
Peut-elle devenir soudain
Tellement pesante à porter

S'agit-il, Seigneur
Du calice trop plein
Et de la croix trop lourde
Pour lesquels tu demandas
D'être un jour délivré

Toi non plus, Seigneur
Tu n'as pas eu la réponse
Que tu attendais de ton Père
Et tu as dû faire face
À cette solitude écrasante
Tu as même ressenti
L'abandon de Celui
Que tu avais tant prié

Elle est partie, Seigneur
Emportant son secret
Elle est partie sans dire
Le comment, le pourquoi

Depuis ce triste jour
Nos cœurs se font si lourds
Et les mêmes questions
Surgissent à tout moment

Nous allons sans entrain
Comme ces deux disciples
Marchant vers Emmaüs
En cette fin de jour

Toi qui as réchauffé
Le cœur de tes disciples
Viens à notre rencontre
Pour partager la peine
Qui nous poursuit sans cesse
Viens veiller avec nous
Car déjà le jour baisse
Et nous sommes trop seuls

Souffrances

Au coucher du soleil,
tous ceux qui avaient des malades atteints
de maux divers les lui conduisirent...
Lc 4,40

Tu ne supportes pas, Seigneur
Que nous soyons soumis
À tant de maladies
À tant d'infirmités

Comme tu en as guéri
De ces gens si blessés
Dans toutes les contrées
Où tu t'es promené

Tu ne supportes pas, Seigneur
De voir tous ces lépreux
Chassés de leur milieu
Comme bêtes féroces

Tu oses t'approcher
Tu oses les toucher
Pour guérir leurs blessures
Et leurs cœurs humiliés

Tu ne supportes pas, Seigneur
Qu'on juge le prochain
Oubliant trop souvent
Que Dieu seul peut juger

Quand on jette à tes pieds
La femme pécheresse
Tu rappelles à ses juges
Qu'ils ne sont pas si purs

Tu ne supportes pas, Seigneur
Que l'on scandalise
Des enfants innocents
Au regard transparent

Apprends-nous
À ne pas supporter
La misère et la faim
Qui règnent à nos côtés

Toi, l'étranger

Leurs yeux étaient empêchés
de le reconnaître...
Lc 24,16

Toi, l'étranger
Qui nous a rejoints
Sur la route du désespoir
Et de la désillusion

Toi, l'étranger
Qui nous as écoutés
Quand nous t'avons livré
La tristesse de nos cœurs

Toi, l'étranger
Tu connaissais la peine
Qui nous serrait le cœur
Et nous brouillait la vue

Toi, l'étranger
Qui nous as laissés
Te parler de nos deuils
De notre avenir brisé

Toi, l'étranger
Quand tu pris la parole
Tu n'as pas condamné
Notre vue si étroite

Nos désirs trop humains
Nous avaient égarés
Nous voulions un Messie
Prêt à nous libérer
Du joug de l'ennemi

Nous avons vu la haine
Des chefs religieux
S'abattre contre toi
Toi qui n'avais voulu
Que guérir et sauver

Nous te voyions traqué
Comme un animal blessé
Prêt à être broyé
Par ces loups déchaînés
Que tu venais délivrer

Toi, l'étranger
Qui sais te faire si proche
Reviens sur le chemin
Où tant de gens circulent
Sans espoir, sans entrain

Toi qui peux réchauffer
Ceux qui sont éprouvés
Viens partager le pain
Et que, le cœur tout brûlant
Ils reprennent le chemin

Abandonné

*Jésus clama en un grand cri :
«Mon Dieu, mon Dieu,
pourquoi m'as-tu abandonné ?...»*
Mt 27,46

Combien de fois, Seigneur
Depuis deux mille ans
Ce long cri du calvaire
A retenti partout
Sur notre terre

« Père,
Pourquoi m'as-tu abandonné... »

Depuis ce premier cri
Combien de femmes
D'hommes et d'enfants
Subissent ta Passion
Et affrontent la mort
Sans en savoir la raison

Pendant combien de temps
Ces appels au secours
Seront-ils oubliés
Pendant combien de temps
Seront-ils sans recours
Ceux qu'on a condamnés

Je veux croire, pourtant
Que tu réponds, Seigneur
Toi qui es revenu
Pour dire à tes amis
« C'est moi, je suis vivant ! »

Blessures d'enfance

Et, crachant sur lui,
ils prenaient le roseau
et en frappaient sa tête...
Mt 27,30

Comme il y en a, Seigneur
Des blessures d'enfance
Et comme elles sont profondes
Et comme elles sont présentes

Blessures de celui
Qu'on a jugé injustement
Ou blessures de celle
Qu'on a rejetée

Blessures combien vives
Des ridiculisés
Blessures combien cruelles
Des femmes violentées

Les blessures physiques
Sont souvent peu de choses
Devant celles qui atteignent
Le plus profond du cœur

On ne sait jamais quand
Elles vont ressurgir
Du fond de la mémoire
Comme un long cauchemar

Sournoisement
Elles font irruption
Comme il en faut du temps
Pour une guérison

Tu as connu, Seigneur
Le rejet de ton peuple
Tu as souffert aussi
De l'incompréhension

Devant Jérusalem
Tu as versé des pleurs
Et exprimé ta peine
Devant tant de fureur

Dans ta propre famille
S'installait la méfiance
On aurait souhaité
Que tu fasses silence

À toi qui as voulu
T'associer aux exclus
Et prendre la défense
De tous les mal-aimés

Je veux confier, aujourd'hui
Ces blessés de la vie
J'ose te demander
De leur rendre l'espoir

Toi qui guéris les corps
Brisés, paralysés
Penche-toi, je te prie
Sur ces enfants blessés

Tu nous comprends

*Et le Verbe s'est fait chair
et il a demeuré parmi nous.*
Jn 1,14

Comme tu dois comprendre, Seigneur
Les pauvres, les sans-abri
Toi qui n'avais même pas
Une simple pierre
Où reposer la tête

Comme tu dois comprendre
Les exilés, les déportés
Toi qui, dès ta naissance
A dû fuir ton pays
Pour éviter la mort

Comme tu dois comprendre
Les incompris, les méprisés
Toi qui fus rejeté
Et ridiculisé
Dans ton propre milieu

Comme tu dois comprendre
Nos fatigues humaines
Toi qu'une mer furieuse
N'avait pu réveiller
Pour rassurer les tiens

Comme tu dois comprendre
Nos peurs de la souffrance
Toi qui, à l'agonie
Luttas seul dans le noir
Sans parents, sans amis

Comme tu dois comprendre
Le sort des condamnés
Toi qui as dû subir
Cet injuste procès
D'un peuple déchaîné

Nous savons maintenant
Que depuis ta venue
Nous ne sommes plus seuls
Et que tu nous comprends
Toi qui as tant vécu

Retour du prodigue

Le plus jeune dit à son père :
« Père, donne-moi la part de fortune
qui me revient... »
Lc 15,11

Que de tristesse
Combien de souffrances
Et de nuits sans sommeil
Cachées dans cette joie
Et dans l'envie de fêter
Le retour du prodigue

Devant l'affront suprême
D'oser lui demander
Sa part d'héritage
Pendant qu'il est vivant
Le père contient la peine
Qui lui brise le cœur

Combien d'heures passées
À scruter l'horizon
À croire et à espérer
Qu'il reviendrait un jour
Que de larmes versées
Dans le plus grand secret

Je comprends bien, Seigneur
Pourquoi tu nous as dit
Qu'il y a dans les cieux
Une si grande joie
Quand un pécheur revient
C'est la joie de ton Père

Arrestation

*« Suis-je un brigand
que vous vous soyez mis en campagne
avec des glaives et des bâtons ? »*
Lc 22,52

Ils sont venus de nuit
Armés de longs fusils
Pour me faire prisonnier
Puis ils m'ont torturé

Ils m'ont criblé de coups
Le cœur plein de dégoût
Laissé à demi mort
Ils décidaient de mon sort

Mon crime était trop grand
Moi qui, depuis longtemps
Cherchais à protéger
Mes frères humiliés

Quand on osait frapper
Un enfant mal-aimé
Je prenais sa défense
Pour calmer sa souffrance

Ce procès si injuste
Tu l'as vécu, Seigneur
Toi qui n'avais cherché
Qu'à libérer les tiens

Pour tous les prisonniers
Pour tous les condamnés
Tu es venu souffrir
Tu es venu mourir

Devant ceux qui subissent
Les pires injustices
Viens m'apprendre, Seigneur
À défier la peur

Bon berger

« Je suis le bon pasteur.
Le bon pasteur donne sa vie
pour ses brebis. »
Jn 10,11

Quand les centaines de brebis
Ont dévalé les collines
Et accouru à son appel
La jeune bergère
S'est vite aperçu
Que l'une d'entre elles
Portait une blessure

Elle s'est approchée
Et très tendrement
A touché la plaie
Et a commencé à la soigner

Dans ce geste spontané
Plein de présence et d'affection
Je me suis rappelé, Seigneur
Ton désir de prendre soin
De la brebis blessée
Et ton souci de guérir
Plutôt que de blâmer

Tu t'es présenté
Comme le bon pasteur
Prêt à défendre tes brebis
Même au prix
De ta vie

Il y a tellement
De brebis blessées
Partout dans notre monde

Il y a tellement
De brebis isolées
Oubliées ou rejetées

Il y a tellement
De brebis égarées
Qui cherchent le chemin

Il y a tellement
De brebis malades
Qui espèrent des soins

Il y a tellement
De brebis qui ont faim
Et qui défaillent en route

Toi, le bon berger
Qui, un jour, eut pitié
De la foule affamée

Viens ouvrir notre cœur
À la souffrance humaine
Merci de partager
Nos douleurs et nos peines

Impuissance

Près de la croix de Jésus
se tenaient sa mère,
la sœur de sa mère...
Jn 18,25

Quelle impuissance, Seigneur
Nous ressentons toujours
Devant la maladie
D'un tout petit enfant
Ou devant l'agonie
D'un vieillard qui délire

Quelle impuissance, Seigneur
Nous vivons trop souvent
Devant l'acharnement
De peuples combattants
Qui cherchent à détruire
Jusqu'au dernier vivant

Quelle impuissance, Seigneur
Nous déchire le cœur
Devant le triste sort
Des foules affamées
Fuyant vers les montagnes
Pour éviter la mort

Cette impuissance, Seigneur
Ta mère l'a vécue
Quand, au pied de la croix
Elle a vu suspendu
Celui qu'elle adorait
Qu'elle appelait Jésus

Mais elle ne fut pas vaine
La douleur de ta mère
Pas plus que la Passion
Que tu vécus pour nous
Elle n'était pas vaine
Ta mort sur une croix
Elle engendrait la vie

Cris de souffrances

> *«Mon Père, s'il est possible,*
> *que cette coupe passe loin de moi!»*
> *Mt 26,39*

Comme il y en a
De la souffrance, Seigneur
Dans la révolte
De ces parents
Qui viennent de perdre
Leur plus jeune enfant

Comme il y en a
Des pourquoi sans réponse
Devant une vie si neuve
Et prometteuse
Qui se termine
Si brusquement

Je suis sûr, Seigneur
Que cette révolte
Et cette souffrance
Tu les accueilles
Et les comprends
Toi qui as vécu
Notre mort inhumaine

Tu as crié vers le Père
Et tu l'as supplié
D'éloigner cette coupe
Si amère et cruelle
Tu as reçu les coups
Réservés aux criminels

Accueille donc, Seigneur
Ces cris de révolte
Non pas comme des reproches
Mais comme une prière
Sortie de cœurs brisés

Passion

*« … je complète en ma chair
ce qui manque aux épreuves du Christ
pour son corps, qui est l'Église. »*
Col 1,24

Seigneur
Chaque nuit, chaque jour
Tu revis ta Passion

Tu revis ta Passion
Quand on blesse un enfant
Innocent, sans défense

Tu revis ta Passion
Quand règne la violence
Et la brutalité

Tu revis ta Passion
Quand on jette en prison
Un pauvre sans recours

Tu revis ta Passion
Quand un ami trahit
Par amour de l'argent

Tu revis ta Passion
Sur les champs de bataille
Où la haine fait rage

Tu revis ta Passion
Quand règnent les ténèbres
Quand on sème la terreur

Tu revis ta Passion
Dans les camps de la mort
D'où l'on ne peut sortir

Que toutes ces souffrances
Vécues par tant des tiens
Éveillent nos consciences

Que par toi notre vie
Soit signe d'espérance
Et source d'harmonie

Tu as souffert

Et le Verbe s'est fait chair...
Jn 1,14

Tu as vécu, Seigneur
Notre humaine condition
Avec ses joies, ses peines
Ses peurs, ses déceptions

Après ce long séjour
Dans le désert
Tu as eu faim, Seigneur

Tu as connu aussi
La fatigue physique
Au soir de la tempête

Devant la dureté des tiens
Et leur rejet de ton message
Ton cœur s'est attristé

L'angoisse t'a saisi
Au jardin des douleurs
Où dormaient tes amis

Tu as reçu les coups
Et l'humiliation
De la flagellation

Du haut de la croix
Juste avant de mourir
Tu as eu soif, Seigneur

Merci pour cette vie
Que tu as acceptée
En toute liberté

Nos souffrances ont un sens
Depuis qu'en notre monde
Tu les as partagées

CHAPITRE V

Cris d'abandon

« Père,
je remets mon esprit
entre tes mains… »
Lc 23,46

Comme l'enfant
Après une longue
Crise de larmes
S'abandonne confiant
Et dort à poings fermés
Dans les bras de sa mère
Je veux abandonner
Mes peines, mes tracas
Mes soucis et mes peurs
Entre tes mains
Seigneur

Enfant

*« Si vous ne retournez à l'état
des enfants, vous ne pourrez entrer
dans le Royaume des Cieux... »*
Mt 18,3

Je voudrais bien, Seigneur
Être comme l'enfant
Qui sait s'abandonner
Dans les bras de sa mère
Sans crainte, sans soucis
Sans peur du lendemain

Je voudrais bien, Seigneur
Demeurer dans tes bras
Heureux et silencieux
Capable d'accueillir
La tendresse infinie
Qui jaillit de ton cœur

Je voudrais bien, Seigneur
Comme sait un enfant
Contempler une fleur
Pouvoir prendre le temps
De goûter au bonheur
De vivre le présent

Je voudrais tant, Seigneur
Vivre comme l'enfant
Heureux, reconnaissant
Sachant bien qu'avec toi
Les peurs et les tourments
Feront place à la joie

Pauvreté

« Heureux les pauvres en esprit,
car le Royaume des Cieux est à eux. »
Mt 5,3

Si je n'avais jamais peur
Qui me rassurerait, Seigneur

Si je n'avais jamais soif
Comment chercherais-je la source

Si je n'avais jamais de peine
Qui me consolerait

Si j'étais trop savant
Qui me renseignerait

Si je n'avais aucun fardeau
Qui me soulagerait

Si je savais le chemin
Qui me guiderait

Si je me suffisais
Quand te chercherais-je

Si j'étais sans péché
Qui me pardonnerait

Si j'étais sans détresse
Qui me prendrait la main

Si j'étais trop parfait
Qui donc me comblerait

Mais si j'ai peur et soif
Et ploie sous le fardeau

Si je suis pauvre et nu
Si je suis seul et dépourvu

Je garde l'espérance
Et la joie
Car je sais
Que tu es là

Abandon

« Je me fie à Dieu de ce qu'il en sera. »
Ac 27,25

Les mots si gauches
Que j'emploie pour te prier
Les mots si lourds
Que je crie pour supplier
Je te les abandonne
Seigneur

Les craintes multiples
Et les nombreux soucis
Les envies de me venger
Et le besoin de posséder
Je te les abandonne
Seigneur

Les joies et les tourments
Les peurs et les chagrins
Les soucis du moment
Et ceux du lendemain
Je te les abandonne
Seigneur

Les rires et les pleurs
Les désirs de bonheur
Recherché à tout prix
Les instants de folie
Je te les abandonne
Seigneur

Les idées arrêtées
Et tous les préjugés
Les envies de juger
Et de tout condamner
Je te les abandonne
Seigneur

Les craintes de souffrir
Et la peur de mourir
Les maux qui font pâtir
Et mes envies de vivre
Je te les abandonne
Seigneur

Les bêtises passées
Les heures gaspillées
Les bons coups réussis
Les tracas de la vie
Je te les abandonne
Seigneur

Les deuils, les désespoirs
Les peurs de décevoir
L'envie de tout savoir
Les matins et les soirs
Je te les abandonne
Seigneur

Entre tes mains
Seigneur
Je veux me réfugier
Entre tes mains
Seigneur
Je veux m'abandonner

Encore une fois

« Seigneur, combien de fois devrais-je
pardonner ?… – Je ne dis pas jusqu'à sept fois,
mais jusqu'à soixante-dix fois sept fois… »
Mt 18,22

Encore une fois, Seigneur
Tu m'offres, aujourd'hui
Ton pardon

Encore une fois
Je dois reconnaître
Ma grande pauvreté

Encore une fois
Je dois constater
Mon désir de t'aimer
Et ma peur de te suivre

Encore une fois, Seigneur
Je veux croire
Que tu m'aimes
À la folie

Encore une fois
Je me laisserai accueillir
Dans ta tendresse
Et ta bonté

Si tu m'invites, Seigneur
À pardonner aux autres
Soixante-dix fois sept fois
Je veux croire
Que tu le peux, toi aussi
Pour moi

Et encore une fois
Ce sera la fête
Dans mon cœur

Car après tant de fois
Je ne saurais douter
Jusqu'à quel point
Tu m'aimes

Prière

« *Venez à moi, vous qui peinez*
et ployez sous le fardeau,
et moi je vous soulagerai... »
Mt 11,28

Quand je suis entrée
Dans ta maison, Seigneur
Mon cœur était si lourd
Et mon esprit si vide
Que je ne pensais pas
Pouvoir te rencontrer

Mais dans le silence
Si bienfaisant
J'ai vite compris
Que tu m'accueillais
Comme je me présentais
Et je me suis abandonnée
Dans la confiance de l'enfant

Je t'ai livré la peine
Et la souffrance
Que je portais
Depuis trop longtemps

Devant toi, Seigneur
Je me suis sentie
Comme un grand livre ouvert
Prête à te livrer
Le trop-plein de mon cœur

J'ai compris, Seigneur
Cette parole si consolante
« Vous qui ployez sous le fardeau
Venez à moi et je vous soulagerai… »

J'ai compris aussi
Pourquoi, si souvent
Tu te retirais
Sur la montagne
Où, seul avec ton Père
Tu passais de longues heures
À prier dans la nuit
Comme un Fils
Bien-Aimé

Tu portais nos souffrances
Et les fardeaux trop lourds
De tes sœurs et frères
Et je sais qu'aujourd'hui
Tu portes aussi les nôtres
Je te les abandonne
Avec confiance
Et reconnaissance

Confiance

*« Voici que la Vierge concevra
et enfantera un fils
auquel on donnera le nom
d'Emmanuel. »*
Mt 1,23

Si tu es avec nous, Seigneur
Comment ne pas chanter

Si tu es la lumière
Pourquoi craindre les ténèbres

Si tu es pain de vie
Comment chercher d'autres nourritures

Si tu sais pardonner
Pourquoi désespérer

Si tu es le bon Pasteur
Comment ne pas te suivre

Si tu donnes la vie
Pourquoi craindre la mort

Si tu es la vraie source
Comment ne pas y puiser

Si tu es le Sauveur
Pourquoi aurions-nous peur

Si nous t'abandonnions, Seigneur
À qui irions-nous

Paix

*« Je vous laisse la paix ;
je vous donne ma paix… »*
Jn 14,27

Y aura-t-il un jour
Une paix véritable
Partout sur notre terre
Où pourront s'amuser
Les enfants de la rue
Sans toujours avoir peur
De se faire faucher

Y aura-t-il, Seigneur
Un jour, un vraie paix
Non pas celle qu'on donne
À grands coups de menaces
De chantages, de peurs
Par de puissantes armes
Qui sèment la terreur

La paix que tu promets
Se forge dans les cœurs
Où règne la justice
L'amitié, le pardon
C'est la paix de l'enfant
Toujours prêt à aimer
Sans arrière-pensée

La paix que tu promets
Tu la donnes
Aux disciples cachés
Écrasés par la peur
Après le long procès
Où tu fus condamné
À mourir crucifié

C'est la paix annoncée
Le soir de ta naissance
Aux bergers étonnés
De voir tant de lumière
Et d'entendre les anges
Proclamer tes louanges

« Gloire à Dieu
Au plus haut des cieux
et paix sur la terre
aux hommes qu'il aime ! »

Désert / silence

*À cette nouvelle, Jésus se retira
en barque dans un lieu désert...*
Mt 14,13

Comme il en faudrait
Des endroits déserts
Pour nous éloigner du bruit
Et calmer nos esprits

Je veux ce soir, Seigneur
Dans mon désert intime
Te rencontrer enfin
Demeurer avec toi
Pendant de longs moments

Seul avec toi
Dans un intense silence
Je trouverai le repos
La paix et la confiance

Mais comment venir seul
Quand tant de sœurs et de frères
Qui ploient sous le fardeau
Recherchent la lumière

Je te les conduirai
Ces enfants bien-aimés
Tu panseras les plaies
De tes brebis blessées

Vieillesse

« Quand tu seras devenu vieux,
tu étendras les mains,
un autre te nouera ta ceinture... »
Jn 21,18

Seigneur
Je suis là devant toi
Avec mon corps usé
Et mon esprit fatigué
Les os me font si mal
Et ma tête est si lourde

La solitude m'accable
Et courbe mes épaules
La nuit se fait si longue
On dirait que jamais
N'apparaîtra le jour

Je voudrais retrouver
Mes énergies d'antan
Je me sens inutile
Et toujours dépendant
Je ne sais que penser

Devant mon impuissance
À pouvoir te prier
Je garde le silence
Et dois m'abandonner
Comme l'animal blessé

Je veux croire, Seigneur
Que pourtant tu m'accueilles
Avec le même amour
Et la même tendresse
Que reçoit un enfant

Si tu le veux, Seigneur
Avec toi jusqu'au soir
Je me reposerai
Et dans ce long silence
Je m'abandonnerai

Prière d'enfance

« En vérité, je vous le dis,
si vous ne retournez à l'état des enfants,
vous ne pourrez entrer
dans le Royaume des Cieux... »
Mt 18,3

Seigneur
Je n'ai pas de grandes choses
À t'apporter
Mais je veux, ce soir
Me présenter devant toi
Avec mon cœur
D'enfant

Je veux t'offrir
Ma pauvreté
Et ma petitesse
Ma dépendance
Et mes soucis
La simplicité de ma vie
Et ma difficulté
À te prier
Mon impuissance à aimer
Comme tu le demandes
Et ma soif d'être aimé

Je veux t'offrir
Ma solitude
Et mon besoin
De tendresse
Ma trop grande fatigue
Et mon esprit encombré

Je veux t'offrir, Seigneur
Mes joies
Et mes souffrances
Mes amitiés
Et mes besoins
De silence

Je veux te présenter
La toute petite page
Écrite par moi
Dans cette longue
Histoire humaine

Puis, je te dirai merci
De prendre le temps
De l'accueillir
Comme on accueille
Un simple dessin
Que nous offre
Un enfant

Eucharistie

Et tandis qu'ils mangeaient,
il prit du pain...
Mc 14,22

Seigneur
Je veux t'offrir
La multitude
De sœurs et de frères
Qui ont collaboré
À la réalisation
De ce morceau de pain
Qui sera consacré

Je t'offre
Le cultivateur
Si près de la nature
Qui, du matin au soir
Laboure la terre
Et l'ameublit
Pour y déposer
Le blé

Je t'offre aussi
Le bûcheron
Et le mineur
L'ingénieur
Le technicien
Qui ont mis leurs talents
À la fabrication d'outils
Et de machineries
Pour travailler le sol

Je te rends grâces
Pour le soleil
La pluie et le vent
Qui se chargeront
De féconder leur travail
Et de rendre l'épi
À maturité

Je t'offre enfin, Seigneur
Tous ceux et celles
Qui pétrissent la pâte
Pour nourrir la foule
Et réjouir le cœur
Par ce pain quotidien

Que ce morceau de pain
Fruit de tant de labeurs
Et signe d'amitié
Me rappelle sans cesse
Cette prière au Père

« Qu'ils soient un
Comme toi et moi
Nous sommes un… »

Ma prière

« Nous ne savons pas que demander
pour prier comme il faut... »
Rm 8,26

Ils sont tellement gauches, Seigneur
Mes mots pour te prier
Ils sont si pauvres, Seigneur
Que j'ose à peine y penser

Mots de louange ou de supplication
Mots de révolte ou d'abandon
Mots remplis de tristesse
Ou mots pleins d'espérance

Ils sont si faibles, mes mots
Comme ceux de l'enfant
Dans ses premiers
Balbutiements

Voilà pourquoi, Seigneur
Je veux me taire
Faire silence devant toi
Et laisser l'Esprit
S'exprimer à ma place

Je veux te regarder
Sans bruit, sans paroles
Je veux faire silence
Et goûter ta présence
En oubliant le temps

Notre Père

« Vous donc, priez ainsi :
Notre Père... »
Mt 6,9

Quelle chance
Pour l'enfant
Qui peut dire « papa »
Sans arrière-pensée
Sûr qu'il est là
Pour l'aider, le protéger

Ils sont trop nombreux, Seigneur
Les orphelins d'un père
Absent, indifférent
Muet ou trop pressé

Combien d'adolescents
Ne peuvent étancher
Leur soif d'être appréciés
Reconnus, valorisés

Tu as reçu, Seigneur
Cette reconnaissance
De ton Père du ciel
Le jour de ton baptême

« Tu es mon Fils bien-aimé
Tu as toute ma faveur... »
Mc 1,11

Quand tu nous parles, Seigneur
D'un père qui nous aime
Et qui prend un soin jaloux
De chacun de ses enfants
Notre cœur devient brûlant
Comme celui des disciples
Sur le chemin d'Emmaüs

Je voudrais bien, ce soir
Te prier pour ceux
Qui ne connaissent pas
La tendresse d'un père

Je voudrais te prier
De leur donner enfin
La joie de pouvoir dire
Avec leur cœur d'enfant
« Notre Père »

Regard de vie

Alors Jésus fixa sur lui son regard
et l'aima…
Mc 10,21

Par ton seul regard, Seigneur
Tu as recréé des personnes
Qu'on avait fini par tuer
À force de mépris

Par ton seul regard, Seigneur
Tu as donné le salut
Au percepteur Zachée
Qu'on avait isolé

Par ton seul regard, Seigneur
Tu as libéré le publicain
Depuis longtemps condamné
Par les plus-que-parfaits

Par ton seul regard, Seigneur
Tu as redonné vie
À la femme déchue
Qu'on allait lapider

Par ton seul regard, Seigneur
Tu as mis à l'honneur
Les enfants qu'on chassait
Parce qu'ils troublaient la paix

Je voudrais bien, Seigneur
Me laisser envahir
Par ton regard d'amour
Qui éveille à la vie

Et je voudrais aussi
Par mon simple regard
Redonner l'espérance
Enrayer la souffrance

Rendez-vous

« Voici que je me tiens à la porte
et je frappe ; si quelqu'un entend
ma voix et ouvre la porte,
j'entrerai chez lui pour souper. »
Ap 3,20

Avec quel respect, Seigneur
Tu frappes à ma porte
Sans en forcer l'entrée

Avec quelle patience
Tu attends sur le seuil
Espérant ma réponse

Avec quel désir
De vivre l'amitié
Au cours d'un vrai repas

Avec quelle attention, Seigneur
Je veux faire silence
Pour entendre ta voix

Je ne voudrais jamais
Manquer ce rendez-vous
Si longtemps désiré

Je veux ouvrir, Seigneur
Toute grande ma porte
Pour enfin partager
Ton amitié

Parce que…

Jésus… ayant aimé les siens
qui étaient dans le monde,
les aima jusqu'à la fin…
Jn 13,1

Parce que tu m'aimes, Seigneur
Tu me demandes d'aimer

Parce que tu me sers
Tu me pries de servir

Parce que tu me pardonnes
Tu me dis de pardonner

Parce que tu me donnes
Tu m'invites à donner

Parce que tu m'accueilles
Tu m'apprends à accueillir

Parce que tu me pries
Tu m'invites à prier

Parce que tu me sauves
Tu me demandes d'être sauveur

Parce que tu me crées
Tu m'invites à créer

Parce que tu fais confiance
Je veux m'abandonner

Célibataires

« Il n'est pas de plus grand amour
que de donner sa vie pour ses amis. »
Jn 15,13

Combien de dévouements
Que de gratuité
Cachés dans ce simple mot
Célibataire

Combien de vies données
Aux parents vieillissants
Aux enfants délaissés
Aux malades alités
Aux foules éprouvées

Combien de simples gestes
Et tant de tendresse
Envers les mal-aimés
Assoiffés de présence
En quête d'amitié

Ils ne font pas de bruit
Tous ces gestes gratuits
Mais tu sais bien, Seigneur
Comme ils sont chargés
De générosité

Je veux t'offrir, ce soir
Dans mon humble prière
Toutes ces vies données
Dans la joie, la confiance
Et l'amour partagé

J'ai soif

*Puis, sachant que tout était achevé
désormais, Jésus dit,
pour que toute l'Écriture s'accomplît :
« J'ai soif... »*
Jn 19,28

Seigneur
J'ai envie
Aujourd'hui
De crier
Jusqu'à épuisement
« J'ai soif »

J'ai soif
De présence
Soif d'affection
Soif de me confier
Soif de me libérer
De cette solitude
Trop pesante
Trop souffrante

J'ai soif, Seigneur
D'être utile
À quelqu'un
D'accueillir sa souffrance
Pour oublier la mienne
Soif d'un regard
De bonté
De tendresse

J'ai soif, Seigneur
De livrer
Dans la confiance
Le fond de mon cœur
Et de croire
En l'ami
Capable d'accueillir
Sans jugements

Je veux croire, Seigneur
Que tu es cet ami
Qui, aujourd'hui
Me redit
« Confiance,
Je suis toujours
Avec toi… »

Simplicité

« De grâce, Seigneur ! reprit-elle,
aussi bien les petits chiens mangent-ils
des miettes qui tombent de la table
de leurs maîtres ! »
Mt 15,27

Quelle simplicité
Et quelle confiance, Seigneur
Chez cette Cananéenne
Qui accepte la comparaison
Avec les petits chiens
Et qui la reprend
À son compte

« Les petits chiens
mangent les miettes
dessous la table… »

Avec quelle admiration
Tu accueilles sa demande
Et lui accordes
La guérison de sa fille

Donne-moi donc, Seigneur
Cet esprit de l'enfant
Capable d'abandon
Et de persévérance
Dans ses demandes

Je veillerai

> *« Dans vos prières,*
> *ne rabâchez pas*
> *comme les païens. »*
> *Mt 6, 7*

Une lampe brille
Dans la chapelle obscure
Et silencieuse

Elle me rappelle
Que tu es là
Attendant patiemment
La venue
D'un ami

Présence discrète
Et mystérieuse
Aussi vraie
Qu'au désert
Ou que sur la montagne
Où tu passais
La nuit
En présence
De ton Père

Ce soir
Je veillerai
Avec toi
Silencieux
Sans un mot
J'en oublierai le temps
Et les fatigues
De la journée

Table des matières

Québec, Canada
2000